50年続く銀座の人気料理教室の熱血レッスン

本当に作りたい料理、ぜんぶ。

＊

田中伶子クッキングスクール

田中伶子
中村奈津子

講談社

50年続く銀座の人気料理教室の熱血レッスン

本当に作りたい料理、ぜんぶ。

CONTENTS

4 はじめに

1章 | 1000点余のレシピの中でくり返し作りたい！| 生徒が選んだ人気メニュー

- 煮る
- 6 チキンカレー
- 焼く
- 10 ハンバーグ
  - 焼き方をかえてもう一品 ホイル包み焼きハンバーグ
- 12 豚肉のしょうが焼き
  - 洋風に味をかえてもう一品 ポークジンジャー
- 14 焼きギョーザ
  - 調理法をかえてもう一品 水ギョーザ
- 炒める
- 16 ビーフストロガノフ
- 18 酢豚
  - 素材をかえてもう一品 白身魚の甘酢炒め

2章 | ボリュームいっぱい | 肉のベストメニュー

- 焼く
- 22 鶏肉のグリエ 香草風味
  - 香草パン粉でもう一品 帆立ての香草パン粉焼き
- 23 鶏の照り焼き
- 24 ビーフステーキ
  - ソースをかえてもう一品 洋風ソースがけステーキ
- 25 チャーシュー
- 炒める
- 26 豚肉とあさりのにんにく風味炒め
  - めんを加えてもう一品 豚肉とあさりの焼きそば
- 27 豚ばら肉のチャーハン
- 煮る
- 28 肉じゃが
  - 味をかえてもう一品 洋風肉じゃが
- 30 豚の角煮
- 31 すき焼き
  - どんぶりにしてもう一品 牛丼
- 32 鶏のクリームシチュー
- 33 スパゲティ ミートソース
- 34 ビーフシチュー
- 揚げる
- 36 肉だんごの甘酢あんかけ
- 37 鶏の竜田揚げ
  - 素材をかえてもう一品 さばの竜田揚げ
- 蒸す
- 38 ちまき
  - 作り方をかえてもう一品 炊き込みちまき

3章 ほっとするおなじみの味
魚介のベストメニュー

焼く
- 42 えびのマカロニグラタン
  ホワイトソースでもう一品 ドリア
- 44 さけのムニエル
  ソースをかえてもう一品 トマトソースがけムニエル
- 45 ぶりの照り焼き

煮る
- 46 アクアパッツァ
- 48 えびのチリソース煮
  味をかえてもう一品 マイルドえびチリ
- 50 かれいの煮つけ

揚げる
- 51 わかさぎの南蛮漬け
  味をかえてもう一品 エスカベッシュ
- 52 かにのクリームコロッケ

4章 家族がみんな大好き
卵と豆腐のベストメニュー

焼く
- 56 だし巻き卵
  味をかえてもう一品 関東風卵焼き
- 58 かに玉
  どんぶりにしてもう一品 天津丼

炒める
- 60 麻婆豆腐
  素材をかえてもう一品 麻婆なす

揚げる
- 62 揚げ出し豆腐
  味をかえてもう一品 あんかけ揚げ出し豆腐

あえる
- 63 五目白あえ

蒸す
- 64 茶碗蒸し
  味をかえてもう一品 中華風茶碗蒸し

5章 野菜がたっぷり食べられる
野菜のベストメニュー

炒める
- 68 きんぴらごぼう
- 69 五目野菜炒め
  アスパラベーコン
- 70 八宝菜

煮る
- 72 筑前煮
- 73 ラタトゥイユ
  ラタトゥイユでもう一品 オムレツ

あえる
- 74 ミックスグリーンサラダ
- 75 ドレッシングバリエーション
  和風ドレッシング／中華風ドレッシング
  ヨーグルトドレッシング／玉ねぎドレッシング
  にんじんドレッシング／練りごまドレッシング
  マヨネーズ
- 76 シーザーサラダ
- 77 ポテトサラダ
  コールスロー
- 78 いんげんのごまあえ
  セロリときゅうりの酢の物
- 79 ナムル
  ブロッコリーのからし酢みそ

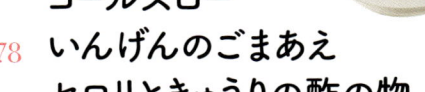

すぐに役立つ 料理の基本
- 20 ❶野菜の切り方
- 40 ❷肉と魚介の下ごしらえ
- 54 ❸ホワイトソースの作り方
- 66 ❹だし汁のとり方
- 66 ❺料理の言葉

この本の使い方
- 計量の単位は、カップ1＝200㎖、大さじ1＝15㎖、小さじ1＝5㎖です。
- オーブンの温度、焼き時間は目安です。機種によって違いがあるので、様子を見て加減してください。
- 材料表の植物油は、綿実油やグレープシード油を使用しています。また、オリーブ油はエクストラバージンオリーブ油を使用しています。

はじめに

本当のおいしさを知っていただきたいと50年間続けてきました

　子どものころからおいしいものを食べることが好きで、大学生になり料理学校に通い始め、卒業後は料理学校の助手の仕事に就き、その後、昭和39年に自宅で料理教室を始めました。現在は銀座の教室で娘、奈津子とともに毎日生徒さんをお迎えしております。

　この50年で料理はずいぶん変わりました。昔では考えられないほどいろいろな食材が世界中から入り、レストランも世界中のおいしいお店が日本国内に出店しています。調理家電や調理器具などの発達も目覚ましいものがあります。

　そんな便利な時代になっても変わらないものは、家庭料理だと思うのです。旬の食材を使って、栄養のバランスを考えて、家族の好きな料理を心を込めて作る、それが家庭料理です。決して凝ったものや贅沢なものでなくてよいのです。大事なことはただ一つ、心を込めて作ること。シンプルなことですが、簡単なことではありません。材料を吟味して、ていねいに下ごしらえをして、手間を省かず楽をせずに基本に忠実に作ること、それが心が込もった料理であり、そして最高においしい家庭料理になると思っております。

　私が娘に常に伝えていることは調理の技術ではありません。家庭料理の基本は昔から変わらない、ということです。

　時間をかけてコトコト煮込むシチューは、鍋はだについた焼き汁を木べらでていねいにこそげながら煮詰めることでビロードのような艶が出て、なんとも言えない甘美なうまみが出るのです。便利な調理方法で作るシチューと、時間をかけてていねいに作るシチューのおいしさの差は2割くらいかもしれません。でも私はその2割にこだわって最高においしい、心の込もった家庭料理を教え続けたいと思っております。

田中伶子

どなたでも作れる、絶対においしい家庭料理をお伝えしたいですね

母は私が幼稚園のころからこの仕事をしていたので、食事の時間に不在のことがよくありました。そんなときは母が必ず手作りのおやつや夕飯を置いていてくれました。母と食卓を囲めないのは少し寂しかったかもしれませんが、妹と二人で、母が作っておいてくれた食事をすると、私たちのために手をかけて、おいしいものを作ってくれているということに心が温かくなったものです。

私もほぼ毎日教室で教えるため、娘と食事をすることはなかなかできません。でもお昼にはお弁当を持たせ、夕飯も作っておきます。そうすると必ず"ありがとう""おいしくて元気出た！"などとメールをくれるんです。気がつけば母と同じことをしているんですね。

時間があるときに手間をかけて愛する人のためにおいしいものを作る、それがさらりとできたらいいなと思います。おいしいものは人と人とをつないでくれるものですから。

私が母から受け継いだ、心を込めてていねいに作る家庭料理の持つ"おいしい幸せ"を、教室の生徒さん、この本を手にしてくださった方、娘たち次の世代にお伝えしていきたいですね。

中村奈津子

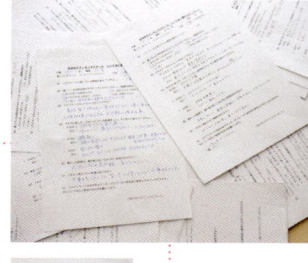

生徒の声をもとに、厳選したレシピばかりです

生徒に"くり返し作っているレシピ"などについてアンケートをお願いし、料理を選びました。アンケートに書かれた言葉は、「生徒の声」として掲載しています。

料理上手になるためのこの本の使い方

● **まずはレシピどおりに作って**
調味料の割合など、作りやすく、おいしくできる配合になっています。また、よく炒めるかさっと炒めるかで仕上がりが違ってくるように、作り方にはワケがあります。まずは材料表どおりに準備して、レシピどおりに作ってみてください。

● **ポイントは「ADVICE」に**
作り方の「ADVICE」では、なぜさっと炒めるのかなどの作り方のワケや、ポイントを説明しています。確実においしく作るコツをここでつかんで。

● **あせらないために「下ごしらえ」からスタート**
作る順番も大事。切る、調味料を合わせるなどの「下ごしらえ」をしておけば、火にかけてからあわてることがなくなります。

1章

1000点余のレシピの中でくり返し作りたい！
生徒が選んだ人気メニュー

*

何度も作っている、これから作ってみたいと、
アンケートで特に人気が高かった料理です。
カレー、ハンバーグ……と、
定番中の定番ですが、本当においしく作れたら
うれしいものばかり。一生ものです。

先がまっすぐで、持ち手が太めの木べら。
しっかり力が入って混ぜやすい。

煮る

アンケート人気No.1を紙上レッスン
チキンカレー

スパイシーなのに自然な甘みとのバランスが絶妙で、だれからも好かれる味。
玉ねぎをあめ色になるまで炒める手間をかけても作りたいおいしさです。

生徒の声 ルウで作る味とはひと味違います（33歳・会社員）

隠し味にりんごとバナナを使っていて、おいしかった（28歳・会社員）

家で作ったとは思えないほど本格的な味（26歳・会社員）

\ 紙上レッスン /
チキンカレーの作り方

東京・銀座にある教室にお邪魔しました。
今回のレッスンのメニューは、アンケートで堂々の1位になったチキンカレーです。
田中先生、中村先生の熱い指導を紹介します。

> カレーのポイントは、鶏肉はこんがり焼くことと、玉ねぎをあめ色になるまで炒めることです

✱ **材料**（作りやすい分量／約4人分）
鶏もも肉……2枚（500g）
玉ねぎ……1個
にんにく……2かけ
しょうが……1かけ
りんご……小½個
バナナ……½本
カレー粉、小麦粉……各大さじ2
トマトペースト……大さじ1強
洋風スープ＊……カップ3
塩、こしょう……各少々
植物油……大さじ2
温かいご飯……適量
パセリのみじん切り……少々
＊洋風スープの素を表示どおりに湯で溶いたもの。

最初にポイントの説明
素材のことや、作り方の流れなどについて先生からの説明です。

実習スタート
材料を切るところから始めます。

1» 鶏肉を焼く
煮込み鍋に油を熱し、鶏肉の皮を下にして入れ、強火で焼きつける。皮がこんがりと焼けたら裏返して、同じようにこんがり焼いて取り出す。

> 鶏肉を入れたら、色がつくまでさわらない！

ADVICE
十分に焼けると、鍋底から皮がはがれる瞬間がくるので、そこまでがまん！

下ごしらえ

― 玉ねぎ、にんにく、しょうがはみじん切りにする。

― りんご、バナナは色が変わるので加える直前に切る。

― 鶏肉は1枚を6等分に切り、塩小さじ⅔、こしょう少々をふり、小麦粉大さじ1（各分量外）をまぶす。

2» 玉ねぎを炒める

鍋に玉ねぎ、にんにく、しょうがを入れて強めの中火で、鍋底をこそげながら炒める。

ADVICE
そうそう、こそげながら炒めて

刺激臭が弱くなったら中火にし、絶えず混ぜながらあめ色になるまでじっくり炒める。

ADVICE
20分ほど気長に炒めます。でも、焦がしちゃダメ

3» 粉類を炒める

カレー粉と小麦粉をふり入れ、鍋底をこそげるようにしながら粉類と香味野菜がなじんで一体になるまで3分ほど炒める。

楽しい試食タイム

カレーができ上がったら、みんなでテーブルセッティングをして試食します。

粉から作るの初めて！

ルウを使わなくても簡単で、おいしいね

4» 煮込む

スープを加え、しっかり混ぜ合わせて鶏肉を戻し入れる。皮をむいてすりおろしたりんご、小さく刻んだバナナ、トマトペーストを加え、強火で煮立てる。アクをすくい（P.66参照）、ときどき混ぜながら弱火で40分ほど煮込む。

ADVICE
アクをすくうのは煮立った最初の1回だけで

水分がとんで、ぽってりとしてきたら塩、こしょうで味を調える。器にご飯とともに盛り、ご飯にパセリを散らす。

ADVICE
こそげると鍋底がしばらく見えるくらい、ぽってりしたらでき上がり

試食中も、「辛いけど、後味にバナナの甘みがあってさわやか」「玉ねぎをしっかり炒めれば、お店のようなカレーができるのね」など、会話が弾みます。最後は、全員で片づけをして実習終了です。

🏷 焼く

ハンバーグ

ふっくら、ジューシーのポイントは、たねをねっとりするまで練ること。
両面を焼き固めてから、赤ワインを注いで蒸し焼きにすれば失敗なし。

生徒の声 子どもや夫からリクエストされます（27歳・会社員）
シンプルでおいしい（31歳・会社員）　よく作っています（27歳・主婦）

✽材料（2人分）
- 合いびき肉……300g
- 玉ねぎ……1/6個
- A
  - 溶き卵……1/2個分
  - パン粉……大さじ5
  - 牛乳……大さじ1 1/2
- 塩……小さじ1/3
- こしょう、ナツメグパウダー……少々
- 赤ワイン……大さじ3
- B
  - デミグラスソース（市販）……カップ1/4
  - トマトケチャップ……大さじ1
  - ウスターソース……小さじ1
  - 塩、こしょう……各少々
- 植物油……小さじ2

✽つけ合わせ
- クレソン……少々

✽作り方

1》たねを作る

ボウルにひき肉を入れ、塩、ナツメグ、こしょうを加えてさっと混ぜる。玉ねぎ、混ぜ合わせた**A**を加え、しっかりと練り混ぜる。

脂がねっとりとして、糸を引くまでよ〜く練って

下ごしらえ

ひき肉は牛肉7、豚肉3の割合がおすすめ。

 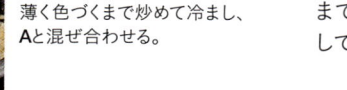
玉ねぎはみじん切りにし、油少々（分量外）で薄く色づくまで炒めて冷まし、**A**と混ぜ合わせる。

デミグラスソース
洋風の煮込みに使われる濃厚なソース。市販のもので、ワンランク上のものを使うとおいしく仕上がる。残ったらファスナーつき保存袋に平らに入れて冷凍保存。

2》成形する

たねを2等分にし、楕円形に成形する。両手でキャッチボールのようにしてたねの中の空気を抜く。

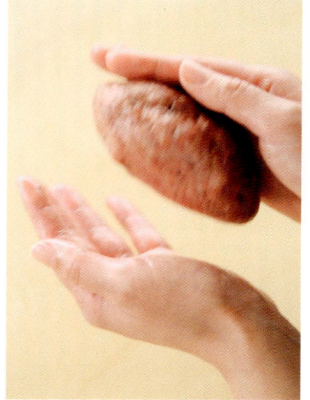

さらに表面がなめらかになるまでならして、中央を手で押してへこませる。

ADVICE
表面をなめらかにすると、割れたりしません。焼く途中でふくらむので、へこませておくのも忘れずに

3 » 焼く

フライパンを熱して油をなじませ、2を入れて中火で30秒焼き、弱火にして4分焼く。裏返して中火で30秒、弱火で1分焼く。

ADVICE
両面とも最初は中火で焼き固め、それから弱火で焼きます

フライパンの脂をキッチンペーパーでふき、赤ワインを加えて沸騰させ、アルコール分をとばす。

ADVICE
ハンバーグに赤ワインをかけるとアルコール分がとばないので、空いたところに投入します

ふたをして弱火で4分ほど蒸し焼きにし、竹串を刺して澄んだ汁が出れば焼き上がり。器に盛る。

4 » 仕上げる

フライパンにBを入れ、鍋底をこそげて焼き汁とよく混ぜて軽く煮詰め、ハンバーグにかける。クレソンを添える。

焼き方をかえてもう一品
ホイル包み焼きハンバーグ

ハンバーグはしめじ½パック（根元を除く）、にんじん⅓本（縦四つ割り）、いんげん4本（3cm長さ）といっしょに焼き、赤ワイン、デミグラスソース各大さじ3、塩、こしょう各少々を加えて軽く煮る。アルミホイル2枚に野菜とハンバーグを等分にのせ、ソースをかけて包み、オーブントースターで6～8分焼く。

焼く
豚肉のしょうが焼き

少し厚めのしょうが焼き用の肉を使います。しっかりと筋切りをして、たれにつけて焼きますが、つけるのは5分でOK。汁けをよくふいて、こんがり焼くことがポイントです。

生徒の声 仕事が終わったあとでも、さっと作れて食べられるのがいいです（32歳・会社員）
シンプルな調味料でお店以上の味と、夫にほめられました（32歳・看護師）

✳︎ 材料（2人分）
豚肩ロース肉（しょうが焼き用）……4枚
しょうが……2かけ
つけだれ
　┌しょうゆ……大さじ2
　│酒……大さじ2
　└みりん……大さじ2
植物油……小さじ1

✳︎ つけ合わせ
キャベツのせん切り……適量
青じそ……2枚

下ごしらえ

豚肉は4〜5mm厚さのものを準備。
しょうがは、皮をむいてすりおろす。

✳︎ 作り方

1≫ たれにつける
豚肉は脂身と赤身の間にある筋を、包丁で切る。

ADVICE 筋は下まで切ってOK。はさみでも○

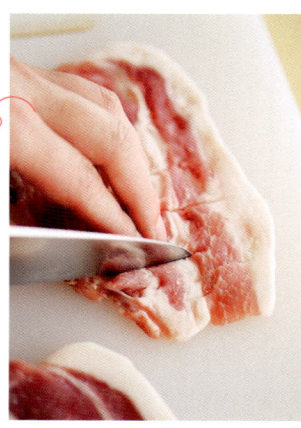

バットにしょうがとつけだれの材料を混ぜ合わせ、豚肉にからめて5分おく。

ADVICE つけ時間は5分。長くつけすぎると、しょうがの作用で豚肉がボロボロに

2≫ 焼く
豚肉は汁けをきって、キッチンペーパーでふく。フライパンに油を熱し、豚肉を並べて強めの中火で焼く。

肉が反らないように、フライ返しで押さえて焼いて

焼き色がついたら裏返し、同じように焼く。両面に焼き色がついたら、フライパンを傾けて、余分な脂をキッチンペーパーで吸い取る。

バットに残ったつけだれを加え、フライパンを揺すりながら豚肉にからめる。

ADVICE
つけだれは最後に！ 焦げないし、味がからみます

3 » 盛る
器に、キャベツと青じそとともに盛る。

洋風に味をかえてもう一品
ポークジンジャー

豚ロース肉は筋切りして、塩2つまみ、こしょう少々をふり、小麦粉少々をまぶす。植物油、バター各大さじ1で両面を焼く。脂をふき取り、しょうがのすりおろし小さじ2、玉ねぎのすりおろし¼個分、しょうゆ、酒、砂糖各大さじ2を加えてからめる。ゆでたスナップえんどうを添える。

● 焼く

焼きギョーザ

**肉と野菜が一体になるように混ぜるとジューシーに。そのためには野菜を細かく刻みます。
カリッと焼けると皮が自然にはがれるので、そこまで焼きつけましょう。**

生徒の声　パーティーなど人が集まるときに作ると受けがいいです（39歳・会社員）
　　　　　外はパリッと中はジューシー。食べすぎ注意の料理です（26歳・病院事務）

✳ 材料（20個分／約4人分）
ギョーザの皮……20枚
豚ひき肉……150g
白菜……2枚
にら……½束（50g）
長ねぎ……5cm
にんにく……1かけ
A ┌ しょうゆ、砂糖、水、片栗粉、ごま油
　│　　……各大さじ⅔
　│ 塩……小さじ⅓
　└ こしょう……少々
ごま油……大さじ2
たれ
　┌ 酢、しょうゆ……各大さじ2
　└ ラー油……少々

下ごしらえ

にら、長ねぎ、にんにくは、できるだけ細かいみじん切りにする。

豚ひき肉は上質なものを準備。

白菜は柔らかくゆで、水にとって冷まし、水けを絞ってみじん切りにする。

✳ 作り方

1 » たねを作る

ボウルにひき肉、野菜、Aをすべて入れ、しっかり練り混ぜる。

ADVICE　材料が一体になるように、ねっとりするまで混ぜます

2 » 包む

ギョーザの皮にたねを大さじ山盛り1杯ほどのせ、皮の周囲に水をつけて、ひだを寄せながら包む。

3 » 焼く

フライパンにごま油大さじ1を熱し、2を並べて、底に軽く焼き色がつくまで弱火で焼く。

ADVICE　このくらいの焼き色でOK！

湯カップ½ほどを鍋肌から回し入れ、ふたをして7分ほど蒸し焼きにする。

ADVICE
湯はギョーザにかからないように入れて。湯量はギョーザの高さの半分が目安

ふたを取り、水分があれば中火にしてとばし、ごま油大さじ1を鍋肌から回し入れてカリッとするまで焼く。

蒸し焼き後はさわらない！ 焼けた瞬間に、ギョーザがスルッと動くまで待ちます

4 ≫ 盛る

フライパンに皿をかぶせ、一気にフライパンをひっくり返して盛る。たれの材料を合わせて添える。

調理法をかえてもう一品
水ギョーザ

ギョーザのたねは同じように作って皮にのせ、ひだを寄せずに包む。塩少々を加えた熱湯で7分ほどゆでて器に盛る。しょうゆ、酢各大さじ1、ラー油小さじ2、にらのみじん切り大さじ1、にんにくのみじん切り小さじ½を混ぜたたれをかける。

1章 ≫ 生徒が選んだ人気メニュー　15

> 炒める

ビーフストロガノフ

ロシアを代表する料理の一つ。軽く煮込むだけなので手軽に作れますが、
野菜をじっくり炒めて甘みを引き出します。これにはサワークリームをかけるのが定番です。

生徒の声 見た目は難しそう、でも意外に早くできて、おいしい（24歳・学生）
材料も少ないし、短時間でできます（36歳・司会業）
夫が好きだからリクエストされます（35歳・会社員）

✳ 材料（2人分）

牛もも肉（またはヒレ。3mm厚さのバター焼き用など）
　……100g
玉ねぎ……½個
マッシュルーム……4個
A ┌ 塩……小さじ¼
　├ こしょう……少々
　└ パプリカパウダー*……大さじ½
白ワイン……大さじ1
B ┌ デミグラスソース（市販）……大さじ5
　└ 生クリーム……大さじ2
レモン汁……大さじ½
塩、こしょう……各少々
バター……大さじ2
サワークリーム……大さじ2
温かいご飯……適量
パセリのみじん切り……少々

＊パプリカは、辛みがなく、甘みが強い唐辛子で、
　独特の香りがある。

下ごしらえ

牛肉は2cm幅に切り、Aをまぶす。

玉ねぎは縦に7～8mm幅に切り、マッシュルームは石づきを除き、薄切りにする。

✳ 作り方

1 » 炒める

フライパンにバター大さじ1を熱し、下味をつけた牛肉を入れて強火でさっと炒めて取り出す。

ADVICE 表面に焼き色がつくくらいで、中は生でもOK

フライパンにバター大さじ1を溶かし、玉ねぎを入れて中火で3分ほど炒め、しんなりしたらマッシュルームを加えて2分ほど炒める。

ADVICE 野菜はしっかり炒めると甘みが出ます

2 » 仕上げる

白ワインを加えてアルコール分をとばし、Bを加えてさっと混ぜる。

牛肉を戻し入れ、混ぜながら2分ほど煮る。塩、こしょうで味を調え、火を止めてレモン汁を加える。

味をからめながら、牛肉に火を通して

3 》》盛る
器にご飯とともに盛り、サワークリームをかけてパセリを散らす。

ADVICE
サワークリームの代わりに、プレーンヨーグルトでも

フライパン一つで作れる、簡単洋食です

1章 》》 生徒が選んだ人気メニュー

炒める

酢豚

プロは豚肉を揚げますが、粉をまぶして焼いて手軽に作ります。
材料は多めですが、順番どおりに作れば失敗なくできます。

生徒の声 中華ってハードルが高いと思っていましたが、簡単でおいしくできることを知り、好きになりました（35歳・会社員）
懐かしい家庭的な味つけでおいしい！（37歳・会社員）

✳︎材料（2人分）
- 豚肩ロースかたまり肉……150g
- 玉ねぎ……1/4個
- ピーマン……1個
- にんじん……1/4本
- 干ししいたけ……1枚
- パイナップル（缶詰）……1枚
- A
  - しょうゆ……小さじ1/2
  - 塩……1つまみ
  - こしょう……少々
  - 溶き卵……大さじ1
- 片栗粉……適量
- B
  - しょうゆ、酢、砂糖、トマトケチャップ……各大さじ1
  - 塩……1つまみ
  - こしょう……少々
  - 片栗粉……大さじ1/2
  - 中華風スープ*……大さじ5
- 植物油……大さじ4

＊中華風スープや鶏がらスープの素を表示どおりに湯で溶いたもの。

✳︎作り方

1» 豚肉を焼く
フライパンに油大さじ3を熱し、下味をつけた豚肉に片栗粉をまぶして入れ、弱めの中火で焼く。両面をこんがりと焼いて取り出す。

ADVICE 豚肉は揚げずに、こんがり焼きます

2» 炒める
フライパンに油大さじ1を熱し、玉ねぎ、ピーマン、にんじんを強火でさっと炒める。油がまわったら豚肉を戻し入れ、干ししいたけ、パイナップルを加えてさっと炒める。

下ごしらえ

＊合わせ調味料の準備
Bは混ぜ合わせる。

- ピーマンは、へたと種を除いて玉ねぎ、パイナップルとともに一口大に切る。
- にんじんは一口大の乱切りにし、竹串が通るくらいに下ゆでする。

- 干ししいたけは水でもどし（P.66参照）、軸を除いて4つに切る。
- 豚肉は3cm角、1cm厚さに切り、Aをからめる。

火を少しだけ弱め、Bをもう一度よく混ぜてから加え、炒め合わせる。

ADVICE
> 合わせ調味料は少し火を弱めてから加えて。強火だとすぐ固まってしまいますよ

全体になじんだら強火にし、さらに炒めて火を通す。

💭 とろみがついた！と思ってから、さらに4秒炒めると、とろ〜りなめらかに

3 》》盛る
火を止めて器に盛る。

素材をかえてもう一品

白身魚の甘酢炒め

白身魚（すずきなど）の切り身2切れは3㎝角、1㎝厚さに切り、豚肉と同じ下味をつけ、片栗粉をまぶして焼く。あとはパイナップル以外の具で酢豚と同じように作る。

1章 》》生徒が選んだ人気メニュー

すぐに役立つ 料理の基本 ❶

野菜の切り方

野菜は切った大きさや形などで、火の通りや歯ごたえがかわり、仕上がりを左右するので切り方はとても大事。

輪切り
きゅうりやにんじん、大根など、切り口が円形の野菜を、端から繊維に直角に切る切り方。厚さは、料理によってかえる。
[小口切り] 小口とは「ものの端」のことで、細長い野菜を端から薄切りにするときに多く使われる。長ねぎ、万能ねぎ、きゅうりの薄い輪切りを小口切りと呼ぶことも。

薄切り
端から厚みをそろえて、1〜2mm幅に薄く切ること。料理によって、写真の玉ねぎのように繊維にそって（縦に）切る場合と、繊維を断ち切るように（横に）切ることがある。

半月切り・いちょう切り
切り口が円形の野菜を輪切りにし、さらに半分に切る切り方。半月に見えることからこの名がついた。また、半月切りを半分（輪切りを4等分）に切るといちょうの葉に似ていることから、いちょう切りという。

斜め切り
端から斜めに切る切り方。厚さや角度は必要に応じてかえる。二つ割りにしてから斜め切りにすることもある。切り口は長い楕円形になり、直径が小さな野菜も大きな断面にすることができる。

角切り
素材を四角（四方）に切ることで、大きさは料理に合わせる。長ねぎやピーマンは指定の幅に縦に切り、それから同じ幅になるように横から切る。大根やにんじんなどの角切りは、棒状に切ったものを、端から厚みと同じ幅に切り、さいころ状にする。

乱切り
にんじんやごぼうなど細長い野菜を、大きさはほぼ同じにして、角度をかえながら切る切り方。包丁を動かすのではなく、野菜を転がして切り口の角度を90°ずつかえながら斜めに切っていく。

せん切り
薄切りにしたものを重ね、端から1〜2mm幅に切るなど、ごく細く切ること。長さは料理に合わせる。写真のにんじんのように繊維にそって（縦に）切る場合と、繊維を断ち切るように（横に）切ることがある。
[細切り] せん切りより太め（5mm幅ほど）に切ること。
[白髪ねぎ] せん切りと同じ要領で、さらに細く切った長ねぎを水にさらしたもの。

そぎ切り
素材の厚い部分を切る方法で、包丁をねかせて斜めに入れ、そぐように切ること。そのまま切ると、厚みが均等になりにくいものを切るときに用いる。
[肉の場合] 同じように包丁をねかせて斜めに入れ、そぐように切って厚みを均等にする。

みじん切り [玉ねぎの場合]

1 縦半分に切って切り口を下におく。まず、包丁を横にねかせ、根元を切り離さないように厚みに3〜4本、切り込みを入れる。

2 次に玉ねぎの端から、繊維にそって2〜3mm間隔で切り込みを入れる。ここでも根元を切り離さないように注意する。

3 繊維に直角に、端から細かく切る（約3mm角）。根元近く、最初の切り込みを入れたところまで切ったら、同じように横に3〜4本、さらに繊維にそって細かく切り込みを入れ、端から細かく刻む。

[長ねぎの場合] 縦半分に切り、切り口を下にして置く。繊維にそって縦に数本切り込みを入れてから端から細かく刻む。
[にんにく、しょうがの場合] どちらも薄切りにしてからせん切りにし、さらに端から細かく刻む。

一口大
食べやすい大きさのこと。2〜4cm角の大きさをいう。

（実物大）

1かけ
[しょうが] 親指の先ほどの大きさで、厚さは約5mm、重さは約10g。

（実物大）

[にんにく] 1玉をほぐした1かけで、重さは約10g。1かけが大きい場合は切って使う。

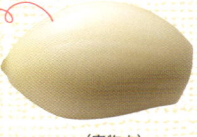

（実物大）

2章

ボリュームいっぱい
肉のベストメニュー

✱

和、洋、中などジャンルにかかわらず、
肉料理はボリュームがあって人気があります。
よく焼くのか、さっと焼くのか、コトコト煮込むのか、
軽く煮るのか。火の通し加減に注意すると、
肉料理はぐっとおいしくなります。

ソースやたれを混ぜるときに、
小さな泡立て器が活躍。

焼く

鶏肉のグリエ 香草風味

鶏肉をフライパンで焼いてから、マスタードを塗って香草パン粉をつけてオーブンでこんがり焼きます。香草パン粉は豚肉や魚介などにも合います。

生徒の声 ボリュームがあって味がしっかり。夫が好きなのでよく作ります（36歳・会社員）

✻ 材料（2人分）
- 鶏もも肉……1枚（240g）
- A
  - 塩……小さじ¼
  - こしょう……少々
- 香草パン粉
  - パン粉……カップ¼
  - バター……大さじ1
  - パセリのみじん切り……大さじ2
  - にんにくのみじん切り……小さじ1
  - 粉チーズ……大さじ2
  - 塩……1つまみ
  - こしょう……少々
- フレンチマスタード……大さじ1
- 植物油……小さじ1

✻ つけ合わせ
- チャービル……適量

下ごしらえ

✻香草パン粉の準備

香草パン粉のバターは室温で柔らかくし、パン粉、残りの材料を順に混ぜ合わせる。

鶏肉は半分に切る。

香草パン粉でもう一品
帆立ての香草パン粉焼き

帆立て貝柱5個に塩小さじ⅙、こしょう少々をふり、マヨネーズ大さじ1½をからめて香草パン粉をまぶし、220℃のオーブンで10分ほど焼く。

✻ 作り方

1» 鶏肉を開く

鶏肉は厚い部分に切り込みを入れ、めくるようにして開き、厚みを均一にする。Aを振る。

ADVICE
鶏肉の厚みを均一にし、火の通りを均一に

2» フライパンで焼く

フライパンに油を熱し、鶏肉の皮目を下にして入れ、強めの中火で3分、裏返して1分焼く。オーブンの天パンにアルミホイルを敷いて焼き網を置き、ここに鶏肉の皮目を上にしてのせ、皮にマスタードを塗る。

ADVICE
皮目にだけマスタードを塗って

3» オーブンで焼く

マスタードを塗った面を下にして香草パン粉の中に入れ、上からギュッと押しつける。鶏肉を天パンに戻し、220℃に温めたオーブンで焼き色がつくまで10分ほど焼く。器に盛り、チャービルを添える。

焼く

鶏の照り焼き

鶏肉は皮をこんがり焼くとおいしくなります。八分通り火を通し、たれを加えて照りをつけながら火を通せば、かたくならずにふっくらジューシーに。

※ 材料（2人分）
鶏もも肉……1枚（240g）
たれ
　┌ しょうゆ……大さじ2
　│ 酒……大さじ2
　│ みりん……大さじ2
　└ 砂糖……小さじ2
植物油……小さじ1
※ つけ合わせ
しし唐……6本

下ごしらえ

黄色い脂肪は除く。

＊たれの準備
たれの材料は混ぜ合わせる。

※ 作り方

1 » 皮目に穴をあける

鶏肉は皮目にフォークを刺して、全体に穴をあける。皮目を下にし、筋の部分に包丁で切り込みを入れて開く。

2 » 焼く

フライパンに油を熱し、鶏肉を皮目を下にして入れ、フライ返しで押しつけながら中火で7分ほど焼く。

ADVICE
押しつけながら焼くと、いい焼き色がつきます

皮にこんがりと焼き色がついたら裏返し、同じように中火で3分ほど、焼き色がつくまで焼く。

3 » 味をからめる

フライパンの脂をキッチンペーパーでふき取り、空いたところにしし唐を入れる。たれを加え、揺すりながら煮からめる。

ADVICE
肉ではなく、フライパンを揺すってからめて

照りが出て、汁けがなくなったら火を止める。食べやすく切り分けて、しし唐とともに器に盛る。

焼く

ビーフ
ステーキ

肉を室温に戻すと、
火が通りやすくなります。
焼いたあとも少し休ませると、
肉汁が全体にまわって
おいしくなります。

※ 材料（2人分）
牛ステーキ肉……2枚
　塩……適量（肉の重さの1％）
　こしょう……少々
にんにく……1かけ
玉ねぎ……½個
A しょうゆ、酒、みりん……各大さじ1½
牛脂……1個
バター……大さじ1
※ つけ合わせ
イタリアンパセリ……適量

下ごしらえ

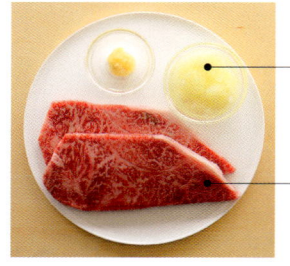

- にんにく、玉ねぎはすりおろす。玉ねぎはキッチンペーパーに包み、水にさらし、絞る。
- 牛肉は冷蔵庫から出して30分ほどおき、室温に戻す。

ソースをかえてもう一品
洋風ソースがけステーキ

牛ステーキ肉は同じように焼く。フライパンに白ワイン大さじ2を入れて鍋底をこそげ、粒マスタード小さじ2、生クリーム大さじ4を加えてさっと煮立て、塩、こしょう各少々で味を調えて牛肉にかけ、イタリアンパセリを添える。

※ 作り方

1 » 塩、こしょうをふる

牛肉の筋に包丁の先で切り込みを入れて筋を切る。焼く直前に塩、こしょうをふる。

ADVICE
塩の量は、牛肉の重さの1％。これで味が決まるのできっちりはかります

2 » 焼く

フライパンを熱し、牛脂を入れて溶かす。牛肉を入れて、強めの中火で焼く。

ADVICE
牛肉を入れたら、焼き色がつくまでさわらないこと！

おいしそうな焼き色がついたら裏返して同じように焼き、バットなどに取り出し、3分ほどおいて落ち着かせる。

3 » ソースを作る

フライパンの脂をキッチンペーパーでふき取り、バターとにんにく、玉ねぎを入れ、鍋底をこそげながら炒め、薄く色づいてきたらAを加えて一煮立ちさせる。牛肉を器に盛り、ソースをかけ、イタリアンパセリを添える。

焼く

チャーシュー

たれにつけて焼くだけ。
そのまま食べてもいいし、
ラーメンにのせたり、
チャーハンに混ぜたりと
常備菜として活躍します。

✻ 材料（作りやすい分量／約4人分）
豚肩ロースかたまり肉……600g
　塩……6g（肉の重さの1％）
つけだれ
├ しょうゆ、砂糖……各大さじ4
│ 紹興酒（または酒）、赤みそ（またはテンメンジャン甜麺醤）
│　……各大さじ2
│ 塩……小さじ½
└ 卵……1個

✻ つけ合わせ
長ねぎ……適量

下ごしらえ

──作り方1参照

＊つけ合わせの準備
長ねぎはせん切りにして、
水に5分ほどさらして水けをきる（白髪ねぎ）。

✻ 作り方

1 » たれにつける
豚肉に塩をふり、よくすり込む。

ADVICE　塩は正確にはかって！

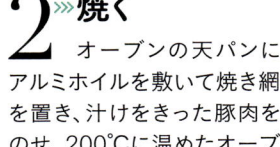

ファスナーつき保存袋につけだれの材料と豚肉を入れ、できるだけ空気を抜いて口を閉じる。上からもんでなじませ、冷蔵庫に3時間から一晩おく。

2 » 焼く
オーブンの天パンにアルミホイルを敷いて焼き網を置き、汁けをきった豚肉をのせ、200℃に温めたオーブンで40～50分焼く。

ADVICE　竹串を刺して、チェック。出てきた汁が澄んでいたら焼き上がり

オーブンから出して、冷ます。

3 » 盛る
残ったつけだれを小鍋に入れ、とろみがつくまで中火で煮詰める。豚肉が冷めたら薄切りにして器に盛り、煮詰めたたれをかけ、白髪ねぎを添える。

🏷 炒める

豚肉とあさりの
にんにく風味炒め

豚肉のうまみに、あさりのうまみも加わって
絶対においしい組み合わせ。
アスパラのほかにいんげんや
スナップえんどう、にんにくの茎などでも。

生徒の声 お酒に合うし、ご飯もすすみます
（37歳・会社員）

❋ **材料**（2人分）
豚ばら薄切り肉……60g
あさり……150g
グリーンアスパラガス……4本
赤ピーマン……½個
にんにく、しょうが……各1かけ
合わせ調味料
　┌ しょうゆ、オイスターソース……各小さじ1
　├ 砂糖、こしょう……各少々
　└ 紹興酒（または酒）……大さじ1
ごま油……小さじ2

下ごしらえ

・アスパラガスは1cm幅に斜めに長く切る。
・赤ピーマンは縦に1.5cm幅に切り、横半分に切る。にんにく、しょうがはみじん切りにする。
・豚肉は3cm長さに切り、塩1つまみ、こしょう少々（各分量外）をふる。
・あさりは砂を吐かせる（P.40参照）。

＊合わせ調味料の準備　合わせ調味料は混ぜ合わせる。

ADVICE
調味料は、炒める前に必ず混ぜて

❋ **作り方**

1 » 豚肉を炒める
フライパンにごま油を熱し、豚肉を入れてほぐし、中火で焼きつける。

ADVICE
豚肉はほぐしたらいじらない！　香ばしい焼き色をつけ、脂をしっかり出します

肉が香ばしく焼けたら、にんにく、しょうがを加えてさっと炒める。

2 » あさりを炒める
あさりを加えて炒め、あさりに油がまわったら合わせ調味料を加えて炒める。

3 » 仕上げる
あさりの口が開き始めたら、アスパラガス、赤ピーマンを加えて炒め合わせ、口がすべて開いたらでき上がり。

めんを加えてもう一品
豚肉とあさりの焼きそば
作り方は同じで、野菜を加えるときに焼きそば用蒸し麺2玉をほぐして加え、炒め合わせる。

炒める

豚ばら肉の
チャーハン

豚肉の脂をしっかり引き出して
コクを出すのがポイントです。
あわてずに気長に炒めれば、
パラパラの仕上がりに。
初心者でも
失敗のない組み合わせです。

*材料（2人分）
豚ばらかたまり肉……80g
干ししいたけ……2枚
長ねぎ……10cm
卵……1個
グリンピース（缶詰または冷凍）……20g
温かいご飯（かため）……茶碗2杯分
A ┌ しょうゆ、酒……各小さじ1
　├ 塩……小さじ⅓
　└ こしょう……少々
植物油……大さじ1

下ごしらえ

・卵は溶きほぐす。
・干ししいたけは水でもどし（P.66参照）、軸を除いて長ねぎとともに1cm角に切る。
・豚肉は1cm角に切り、塩1つまみ、こしょう少々（各分量外）をふる。

*合わせ調味料の準備　Aを混ぜ合わせる。

*作り方

1 ≫ 卵を炒める
フライパンを熱して油大さじ½をなじませる。卵を流し入れて、強火でさっと混ぜたらすぐに取り出す。

2 ≫ 豚肉を炒める
フライパンに油大さじ½を熱し、豚肉を入れてフライ返しで押さえながら強火で焼きつける。

ADVICE　脂を出すように炒め、この脂でご飯を炒めます

カリカリになったらしいたけと長ねぎ、Aの⅓量を加えて炒め合わせる。

3 ≫ ご飯を炒める
ご飯を加え、切るようにほぐしながら、しっかり炒める。

ADVICE　切って、切って、ときどき返す。これをくり返して

パラパラになったら卵を戻し入れ、ご飯と同じようにほぐしながら炒める。残りのAで味を調え、グリンピースを加えて混ぜる。

煮る

肉じゃが

面取りをしなくても、この煮方なら煮くずれしません。
甘みを含ませてから、あとでしょうゆで味をつけるとキリッと味が締まります。

生徒の声 味つけが、私好みです（25歳・会社員）
我が家の定番になりました（31歳・会社員）

✻ 材料（作りやすい分量／約4人分）
牛薄切り肉……100g
じゃが芋（男爵）……2個
玉ねぎ……大½個（70g）
にんじん……½本（70g）
しらたき……70g
絹さや……12〜13枚
だし汁（P.54参照）……約カップ2
A ┌ 酒……大さじ2½
　├ みりん……大さじ2½
　└ 砂糖……大さじ2½
しょうゆ……大さじ3
植物油……大さじ1

✻ 作り方

1» 野菜を炒める
鍋に油を熱し、玉ねぎ、にんじん、じゃが芋を順に加えて中火で炒める。

下ごしらえ

- 牛肉は3cm幅に切る。
- じゃが芋は皮をむいて一口大に切り、水に5分ほどさらす。にんじんはじゃが芋より小さめの乱切りにする。
- 絹さやは筋を取り、色よくゆでる。
- 玉ねぎは薄切りにする。
- しらたきは下ゆでし（P.66参照）、食べやすい長さに切る。

2» 煮る
油がまわったらだし汁、牛肉の順に加え、牛肉をほぐして煮る。

ADVICE だし汁はひたひたでOK。量は加減して

再び煮立ったらAを加え、アクをすくって（P.66参照）5分ほど煮る。

ここからはいじらないこと！煮くずれます

3 » 味をつける

しらたき、しょうゆを順に加えて鍋を揺すってなじませ、落としぶた（P.66参照）をして弱めの中火で15分ほど煮る。落としぶたをはずし、煮汁が少し残るくらいまで煮詰める。器に盛り、絹さやを添える。

落としぶた

味をかえてもう一品
洋風肉じゃが

肉じゃがの仕上げにバター大さじ2を加えて、余熱で溶かす。器に盛り、ゆでたスナップえんどうを添える。

2章 »» 肉のベストメニュー　29

煮る

豚の角煮

ゆでる、煮込む、と時間はかかりますが、手間はかかりません。とろとろに煮上がった肉はボリュームもあって、おもてなしにもなる一品。

生徒の声 いつか家族に作ってあげたい憧れの料理（26歳・会社員）

※**材料**（作りやすい分量／約4人分）
豚ばらかたまり肉……500g
長ねぎの青い部分……2本分
しょうがの皮……30g
A ┌ 水……カップ3
　├ しょうゆ……大さじ3
　└ 砂糖……大さじ4
※**つけ合わせ**
しょうが……適量

下ごしらえ

- 豚ばら肉は5cm幅のものを準備する。
- 長ねぎの青い部分、しょうがの皮は香りづけに。

＊つけ合わせの準備
しょうがは細いせん切りにし、水に5分ほどさらして水けをきる（針しょうが）。

※**作り方**

1 »下ゆでする

鍋に豚肉とかぶるくらいの水を入れ、長ねぎの青い部分、しょうがの皮をそれぞれ半量を加えて強火にかける。沸騰したら弱めの中火で2時間ほど、竹串がすっと通るくらいに柔らかくゆでる。

ADVICE
このゆで汁はこしてスープとして使って。ラーメンがおすすめです！

2 »豚肉を切る

豚肉を取り出し、水で軽く洗って5cm角に切る。

3 »煮る

鍋にAを入れて豚肉を並べ、残りの長ねぎの青い部分、しょうがの皮を加える。落としぶた（P.66参照）をして、肉がとろとろになるまで弱火で50分ほど煮る。

ADVICE
途中で煮詰まったら水カップ1/2ほどを加えて

器に盛り、針しょうがを添える。

🏷 煮る

すき焼き

割り下を作る関東風と
調味料を直に加える
関西風がありますが、
教室では関東風を紹介。
準備さえできれば、あとは
食卓で作るおもてなし鍋です。

✳ 材料（2人分）
牛すき焼き用肉……200g
白菜……2枚
長ねぎ……1本
えのきだけ……½袋
春菊……½束
しらたき……½袋
焼き豆腐……½丁
牛脂……1個
割り下*
　┌ だし汁（P.54参照）……カップ½
　│ しょうゆ……大さじ3
　│ 酒……大さじ2
　│ みりん……大さじ5強
　└ 砂糖……大さじ4

*多めにできるので、残りは冷蔵庫で保存する。

下ごしらえ

しらたきは下ゆでして
（P.66参照）、
食べやすい長さに切る。

白菜は4cm長さ、長ねぎは
4cm長さに斜めに切り、
えのきだけは根元を除いて
ほぐす。春菊は茎を
切り落とし、葉を半分に切る。

焼き豆腐は6等分に切る。

✳ 作り方

1 ≫ 割り下を作る

小鍋に割り下の材料を入れ、中火にかけて2〜3分煮立たせる。

ADVICE
煮立たせて、みりんと酒の
アルコール分をとばして

2 ≫ 煮る

すき焼き鍋を温め、牛脂を入れて鍋全体になじませる。

牛肉を入れて両面をさっと焼き、割り下を全体にかぶるくらいに注ぐ。野菜、しらたき、焼き豆腐を加えて煮る。具に火が通ったら好みで卵（分量外）などをつけながら食べる。

ADVICE
牛肉は煮すぎない！

どんぶりにしてもう一品
牛丼

ご飯にすき焼きの牛肉、しらたき、長ねぎをのせ、あれば三つ葉を添える。

煮る

鶏の
クリームシチュー

ソースは作らない簡単シチューですが、
仕上がりはとってもクリーミー。
白く仕上げたいので、
鶏肉は焼き色をつけないように焼きます。

✻ 材料（作りやすい分量／約4人分）
- 鶏もも肉……小2枚（400g）
- マッシュルーム……4個
- 小玉ねぎ……4個
- にんじん……8cm
- ブロッコリー……小房4個
- 小麦粉……大さじ2
- 洋風スープ＊、牛乳……各カップ1½
- ローリエ……1枚
- 生クリーム……カップ¼
- 塩、こしょう……各少々
- バター……大さじ3

＊洋風スープの素を表示どおりに湯で溶いたもの。

下ごしらえ

- ブロッコリーはさっと塩ゆでする。
- マッシュルームは石づきを除き、縦半分に切る。
- 小玉ねぎは皮をむく。
- にんじんは長さを半分に切り、1cm角の棒状に切る。

鶏肉は一口大に切り、
塩小さじ⅓、こしょう少々をふり、
小麦粉大さじ1（各分量外）をまぶし、
余分な粉は落とす。

✻ 作り方

1 ≫ 鶏肉を焼く
鍋にバター大さじ1½を溶かし、鶏肉を入れて中火で両面を焼いて取り出す。

ADVICE
白く仕上げたいので、焼き色をつけないで

2 ≫ 野菜を炒める
1の鍋に残りのバター大さじ1½を入れ、小玉ねぎ、にんじん、マッシュルームを加えて中火で炒める。鍋底についたうまみを木べらでしっかりこそげ取る。

ADVICE
ここで鍋底を完全にきれいにして

小麦粉をふり入れ、粉っぽさがなくなるまで弱火で3分ほど炒める。

3 ≫ 煮込む
鶏肉を戻し入れ、スープを2回に分けて加え、鍋底をこそげながら粉を溶かすように混ぜ合わせる。

ADVICE
鍋底からしっかり混ぜること

とろみがついてきたら、牛乳、ローリエを加えて、ときどき混ぜながら弱めの中火で15分ほど煮込む。生クリームを加え、塩、こしょうで味を調え、ブロッコリーを加える。

煮る

スパゲティ ミートソース

ひき肉をしっかり焼きつけた、
香ばしい香りがミートソースのおいしさ。
パスタだけでなく、野菜と合わせた
グラタンなどにも大活躍。

生徒の声 ミートソースはたくさん作って
冷凍しています（35歳・会社員）

* **材料**（2人分）
ミートソース*
- 牛ひき肉……200g
- 玉ねぎ……½個
- にんにく……少々
- 赤唐辛子……小1本
- 小麦粉……大さじ2
- 赤ワイン……大さじ3
- 洋風スープ**……カップ1
- トマトソース（市販）……カップ1½
- 塩、こしょう……各適量

オリーブ油……大さじ2
スパゲティ……160g
塩……大さじ1
パルメザンチーズのすりおろし……大さじ2

*作りやすい分量。
　多めにできるので、残りは冷凍保存する。
**洋風スープの素を表示どおりに湯で溶いたもの。

下ごしらえ

- ひき肉は塩小さじ¼、こしょう少々（各分量外）をふる。
- 玉ねぎ、にんにくはみじん切りにする。

* **作り方**

1 》》 ミートソースを作る（肉を焼き、野菜を炒める）

鍋にオリーブ油を熱し、ひき肉を平らに広げ、中火で焼く。しっかり焼けたら返し、同じように焼きつける。

ADVICE 広げたらいじらない！　炒めず、しっかり焼きつけます

玉ねぎ、にんにく、赤唐辛子を加え、鍋底をこそげてきれいにしながら玉ねぎの水分をとばすように弱めの中火で5分ほど炒める。小麦粉をふり入れ、粉っぽさがなくなるまで2分ほど炒める。

2 》》 ミートソースを作る（煮込む）

赤ワインを加え、煮立ててアルコール分をとばす。スープを加え、鍋底をこそげて完全にきれいにし、トマトソースを加える。ときどき混ぜながらごく弱火で、水分が足りない場合は水を加えながら20分煮込む。味をみて塩、こしょうで調える。

ADVICE 鍋底をきれいにしてからトマトソースを加えて煮込みます

3 》》 仕上げる

鍋に湯（約2ℓ）を沸かして塩を加え、スパゲティを表示時間どおりにゆでる。湯をきって器に盛り、ミートソースをかけて、パルメザンチーズをふる。

煮る

ビーフシチュー

牛肉はゆっくり煮込むと、とろけるように柔らかに。煮込み用の野菜と仕上げ用の野菜を準備し、ていねいに作ると豪華なごちそうに。ここぞという日の、もてなしになります。

生徒の声 上品な仕上がりで大好き。クリスマスの定番に（27歳・会社員）

✽ 材料（作りやすい分量／4人分）
牛すねかたまり肉（またはばら肉）……400g
煮込み用野菜
- 玉ねぎ……¼個
- セロリ、にんじん……各6cm（各50g）
- にんにく……1かけ

仕上げ用野菜
- 小玉ねぎ……4個
- じゃが芋……小2個
- にんじん……5cm

赤ワイン……カップ2
デミグラスソース（市販）……カップ½
トマトペースト……大さじ1
洋風スープ*……カップ3
カラメル（P.35参照）……小さじ1〜2
塩、こしょう……各少々
バター……大さじ3

✽ 飾り
イタリアンパセリ……少々

＊洋風スープの素を表示どおりに湯で溶いたもの。

下ごしらえ

仕上げ用の小玉ねぎは皮をむく。じゃが芋は皮をむいて半分に切る。にんじんは縦に4等分に切って角を取る（面取り）。それぞれ柔らかくゆでる。

牛肉は2cm厚さに切り、塩小さじ⅓、こしょう少々をふり、小麦粉大さじ3（各分量外）をまぶす。

煮込み用の玉ねぎは縦、横半分に切る。セロリは長さを半分に切り、2cm幅に、にんじんは長さを半分にして縦4つに切る。にんにくは半分に切る。

✽ 作り方

1 » 牛肉を焼く

鍋にバター大さじ1½を熱し、牛肉を並べて中火で焼く。こんがり焼き色がついたら裏返し、同じように焼いて取り出す。

ADVICE 両面をこんがり焼いて

2 » 野菜を炒める

1の鍋に残りのバター大さじ1½を溶かし、煮込み用の野菜を加え、鍋底をこそげながら炒め、野菜に油がなじんだら牛肉を戻し入れる。

肉のうまみをしっかりこそげ取って

3 » 煮込む

肉に赤ワインを回しかけ、木べらで鍋底をこそげて完全にきれいにする。きれいになったら強火にして煮立ててアルコール分をとばす。

ADVICE 鍋底をきれいにすることで、こげつきも防げます

アルコール臭がなくなったらデミグラスソース、トマトペースト、スープを加えて弱火で肉が柔らかくなるまで、1〜2時間煮る。

ADVICE
牛肉に菜箸がすっと通るくらいまで煮て

4》仕上げる

牛肉が柔らかくなったらカラメルを加え、味をみて塩、こしょうで調えて5分ほど煮込む。器に仕上げ用の野菜と牛肉を盛り、煮汁をかけてイタリアンパセリを飾る。

カラメルの作り方

カラメルは砂糖を焦がしたもの。香ばしさがプラスされて、ぐっとおいしくなります。

小鍋にグラニュー糖大さじ3と水小さじ1を入れて中火にかけ、そのまま茶色になるまで焦がす。

すぐに鍋をぬれぶきんの上にのせて鍋底を冷やす（はねることがあるので注意）。

2章 》》肉のベストメニュー 35

> 揚げる

肉だんごの甘酢あんかけ

肉だんごは香ばしく、しっかり揚げて。
それから甘酢をからめます。
冷めてもおいしいので、お弁当にもぴったり。

生徒の声 簡単、短時間で作れるので
よいおかずになります（33歳・主婦）

✽ 材料（6個分）

豚ひき肉……150g
長ねぎ……3〜4cm
しょうが……½かけ
A ┌ 溶き卵……½個分
  │ 酒……大さじ½
  │ しょうゆ、塩……各小さじ¼
  │ 砂糖、片栗粉……各小さじ½
  └ こしょう……少々
甘酢
  ┌ しょうゆ、酢、砂糖……各大さじ1
  │ トマトケチャップ……大さじ1½
  │ 中華風スープ＊……大さじ5
  │ 塩、こしょう……各少々
  └ 片栗粉……大さじ½
グリンピース（缶詰または冷凍）……大さじ1強
揚げ油……適量

＊中華風スープや鶏がらスープの素を
　表示どおりに湯で溶いたもの。

下ごしらえ

長ねぎ、しょうがは
みじん切りにする。

✽ 作り方

1 » たねを作る

ボウルにひき肉を入れ、長ねぎ、しょうが、Aを加えてよく練り混ぜる。

ADVICE
ひき肉が糸を引く感じになるまで混ぜて

2 » 丸めて揚げる

たねを6等分し、両手でよく転がして表面をなめらかにする。

ADVICE
表面をなめらかにすると、破裂したり、ひびが入ったりしません

中温（170℃）の揚げ油に、肉だんごを入れて揚げる。1分ほどさわらずに、あとはときどき返しながら、表面がカリカリになるまで6分ほど揚げる。

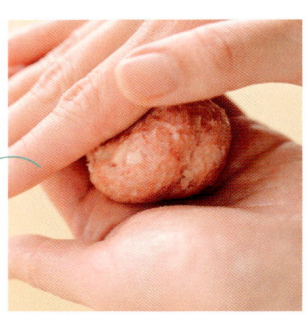

3 » 甘酢を作る

小鍋に甘酢の材料を入れて中火にかけ、混ぜながら煮立てる。とろみがついたら肉だんごを加えてからめ、グリンピースを加えて火を止める。

揚げる

鶏の竜田揚げ

鶏肉を薄くそぎ切りにし、片栗粉をまぶして揚げるとボリュームおかずに。色をつけずに、白っぽく揚げるのが理想。

生徒の声 すっごく簡単に作れます
（23歳・大学生）

✲ 材料（2人分）
- 鶏もも肉……大1/2枚（150g）
- A
  - しょうゆ……大さじ1
  - 酒、みりん、しょうがのすりおろし……各小さじ1
- 片栗粉……カップ1/3
- 揚げ油……適量

✲ つけ合わせ
- しし唐……4本

下ごしらえ

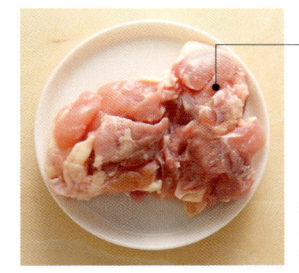

―作り方1参照

＊つけ合わせの準備
しし唐は竹串を刺して穴をあける（破裂するので必ず）。

素材をかえてもう一品
さばの竜田揚げ

さば（三枚におろしたもの）1枚は骨を抜いて、2cm幅にそぎ切りにし、しょうゆ大さじ2、みりん、酒、しょうがの絞り汁各大さじ2/3をからめて10分おく。あとは同じように片栗粉をまぶして揚げる。素揚げにしたオクラを添える。

✲ 作り方

1 » 下味をつける
鶏肉は皮目を下にし、斜めに薄く、そぎ切りにする。バットにAを合わせ、鶏肉を入れて手でもみ込み、10分ほどおく。

2 » 粉をまぶす
鶏肉の汁けをきって片栗粉をまぶし（1回目）、3分ほどおく。揚げる前にもう一度片栗粉をまぶしつける（2回目）。

ADVICE
2度づけすると、よりカリッと揚がります

3 » 揚げる
中温（170℃）の揚げ油に入れ、カラリとするまで3〜4分揚げる。

ADVICE
粉が固まる1分ほどはいじらないこと。揚げ物の基本です

しし唐もさっと揚げて、一緒に器に盛る。

🏷️ 蒸す

ちまき

豚肉の脂がコクになります。竹の皮に包んだ独特の香りを楽しみましょう。
多めに作っておけば、冷凍保存ができます。

生徒の声 本格的な味で、家族に好評です（28歳・会社員）

✻ 材料（作りやすい分量／4個分）

- もち米……カップ2
- 豚ばらかたまり肉……70g
- 干ししいたけ……2枚
- ゆで竹の子……30g
- 干しえび……大さじ1
- カシューナッツ……大さじ2
- 長ねぎ……10cm
- しょうが……1かけ
- A
  - しょうゆ……大さじ1½
  - 酒……大さじ1
  - 砂糖……小さじ½
  - 塩……小さじ⅓
- 中華風スープ*……カップ1½
- ごま油……小さじ1
- 竹の皮（P.39参照）……4枚

＊中華風スープや鶏がらスープの素を表示どおりに湯で溶いたもの。

下ごしらえ

- 豚肉は1cm角に切る。
- もち米は洗ってたっぷりの水に2〜3時間つけ、ざるに上げて水けをきる。 
- 干ししいたけは水でもどし（P.66参照）、軸を除いて竹の子とともに1cm角に切る。
- 干しえびはカップ¼の水につけてもどし、もどし汁はスープと混ぜる。
- カシューナッツは半分に切る。長ねぎは1cm角に、しょうがは粗みじんに切る。

＊合わせ調味料の準備　Aを混ぜ合わせる。

✻ 作り方

1 » 炒める

フライパンにごま油を熱し、豚肉を入れてフライ返しで押さえながら中火で焼く。豚肉から脂が出たら、残りの具材を加えて炒め合わせる。

ADVICE 豚の脂で具材を炒めて、コクをプラス

2 » 煮詰める

油が全体にまわったらAの半量を加えて、中火で5分ほど煮る。もち米とスープ、残りのAを加え、汁けがなくなるまで強火で10分ほど煮詰め、火を止めて粗熱をとる。

ADVICE 鍋底をこそげて、汁けがなければ煮上がり

3 » 包む

竹の皮の端を三角に折り、さらに三角に2回折ってポケットを作る。2の¼量を入れて表面を平らにならし、竹の皮を最後まで三角に折って端を折り込んで包む。残り3個も同じように作る。

ポケット

4 ≫ 蒸す

蒸気が上がったせいろまたは蒸し器に並べて、強火で20〜30分蒸す。蒸し上がったちまきは、冷凍保存ができる。

竹の皮
ちまきに独特の香りをつける。水に浸して柔らかくもどし、水けをふいて使う。

竹の皮がない場合
クッキングシートにのせて包み、両端をねじって閉じて同じように蒸す。

作り方をかえてもう一品

炊き込みちまき

もち米½合とうるち米1½合は洗って浸水する。豚ばらかたまり肉120g、ゆで竹の子50g、干ししいたけ1枚、干しえび5gはちまきと同じように下ごしらえをして、ごま油小さじ1で炒め、ちまきの調味料Aを加えて軽く煮て、具と煮汁に分ける。炊飯器に米と煮汁を入れて、2合の目盛りまで水を加え、具をのせて炊く。器に盛り、香菜を添える。

2章 ≫ 肉のベストメニュー

すぐに役立つ 料理の基本 ❷

肉と魚介の下ごしらえ

ちょっとした下ごしらえで、肉も魚介も食べやすく、形よく仕上がります。やってみると、意外に簡単です。

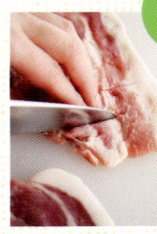

肉

筋を切る
豚肉や牛肉の場合、脂肪の層と赤身の層の間に筋があるので、包丁の先で数ヵ所に切り込みを入れる。筋を切らずに焼いたり、揚げたりすると筋が縮んで肉が反り返ってしまう。

鶏もも肉の場合は、皮を下にして置き、筋が見える部分に包丁の先で切り込みを入れる。火の通りがよくなり、食べやすくなる。

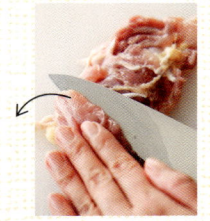

厚みを開く
1 鶏もも肉やむね肉は、厚みがあるところと薄いところがあるので厚みを均一にする。まず、厚いところに包丁をねかせて入れる。

2 厚みを半分にするように切り込みを入れたら、めくるように厚みを開く。厚みを均一にすることで、火の通りも均一になる。

皮に穴をあける
鶏もも肉は皮目を上にして置き、フォークをまんべんなく刺して穴をあける。火の通りもよくなり、味のしみ込みもよくなる。

室温に戻す
肉を焼く場合、冷たいまま焼いてしまうと、中が生焼けになったり、外側が焼けすぎてかたくなったりする。冷蔵庫から肉を出し、バットなどに並べ、室温におく。肉をさわって冷たくなければOKで、目安は30分ほど。

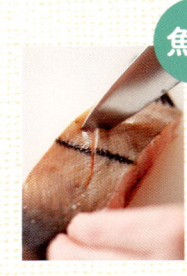

魚介

皮目に切り込みを入れる
魚を煮るときに、火の通りや味のしみ込みをよくしたり、熱で皮が縮んで身がくずれるのを防ぐため、皮目に切り込みを入れる。

えびの背わたを除く
[竹串を使って]
えびは背を丸めて持ち、丸まった部分（2〜3関節）に竹串を刺し、背わたを引き抜く。

[切り込みを入れて]
えびは腹を下にして置き、背にそって包丁の先で浅く切り込みを入れ、包丁の先を使って背わたをかき出す。

あさりの砂を吐かせる
砂吐き済みのものも、できれば砂を吐かせるとよい。ボウルにひたひたにつかる程度の3％の塩水（水カップ1に塩小さじ1が目安）を準備する。あさりをざるに入れて塩水につけ、冷暗所や冷蔵庫に1時間以上おいて砂を吐かせる。皿やバットでふたをしておくとよい。殻と殻をこすり合わせて洗って使う。

一尾魚を使う
1 まず、うろこを除く。尾から頭に向かって包丁でこそげ、うろこを除く。

2 内臓を取り出す。腹びれの下の辺りに、3〜4cm長さに切り込みを入れる。切り込みに包丁の先を入れて内臓をかき出し、水洗いして水けをふく。

3 えらを除く。えらぶたを持ち上げ、指を入れてえらを引っかけて取り出し、頭とつながっているところをキッチンばさみで切る。

3章

ほっとするおなじみの味
魚介のベストメニュー

*

グラタンやクリームコロッケは、
ここぞという日のごちそう。
煮魚や焼き魚は、ご飯によく合い、
簡単にできるおかずです。旬の魚で作れば、
一年中楽しむことができます。

目の細かいものなら、水きり以外に
卵液などをこすこともできます。

焼く
えびのマカロニグラタン

ホワイトソースから手作りすると、なめらかなソースが口の中でとろけて洋食屋さんに負けないおいしさに。具をかえて、いろいろなグラタンが楽しめます。

生徒の声 ホワイトソースを手作りすると、本当においしいし、楽しい（41歳・会社員）
ホワイトソースがもっと上手に作れるようになりたい！（26歳・販売業）

✳ 材料（作りやすい分量／4人分）
- えび（無頭・殻つき）……4尾
- 鶏もも肉……100g
- 玉ねぎ……¼個
- マッシュルーム……4個
- マカロニ……100g
- 白ワイン……大さじ1
- A ┌ 塩……小さじ⅓
  └ 白こしょう（または黒こしょう）……少々
- バター……大さじ1
- ホワイトソース
  - バター、小麦粉……各70g
  - 牛乳……カップ4（または牛乳カップ3＋生クリームカップ1）
  - 塩……小さじ½
  - 白こしょう（または黒こしょう）、ナツメグパウダー（あれば）……各少々
  - ローリエ……1枚
- 粉チーズ……大さじ2
- パセリのみじん切り……適量

下ごしらえ

- マカロニはたっぷりの湯で、表示時間どおりにゆでる。
- ホワイトソース（作り方1参照）
- えびは殻と尾をむき、竹串で背わたを除く（P.40参照）。2cm幅に切って塩、こしょう各少々（各分量外）で下味をつける。
- 玉ねぎは1cm角に切り、マッシュルームは石づきを除いて、薄切りにする。
- 鶏肉は1cm角に切り、塩、こしょう各少々（各分量外）で下味をつける。

✳ 作り方

1 » ホワイトソースを作る（P.54参照）

厚手の鍋にバターを入れて中火にかけ、溶けたら小麦粉を加えてよく炒める。フツフツとしてきたら鍋を火からおろし、ぬれぶきんの上にのせて、冷ましながらサラサラになるまで混ぜる。

> サラサラになるまで混ぜないと、牛乳を加えたときにダマができちゃいます

牛乳、塩、白こしょう、ナツメグ、ローリエを加えてよく混ぜ、中火にかけてとろみがつくまで混ぜながら煮る。

2 » 具を炒める

フライパンにバターを溶かし、鶏肉、玉ねぎ、マッシュルームを中火で炒める。

ADVICE 白く仕上げたいから、焼き色をつけないこと！

鶏肉に火が通ったら白ワインを加えてアルコール分をとばし、えびを加えて炒め合わせる。ゆでたマカロニを加え、Aで味を調えて火を止める。

3 » 仕上げる

2に、ホワイトソースの⅔量を加えて混ぜ合わせる。

4等分してグラタン皿に入れ、残りのホワイトソースをのせて上を覆う。粉チーズをかけて、220℃に温めたオーブンで10分ほど焼く。焼き色がついたら、パセリを散らす。

ADVICE
上にもホワイトソース。たっぷりがおいしい

ホワイトソースでもう一品

ドリア

えび、鶏肉、玉ねぎ、マッシュルームの具は同じように炒め、ホワイトソースを加えて混ぜる。玉ねぎの粗みじん切り¼個分はバター大さじ2で炒め、ご飯300gとトマトケチャップ大さじ2⅔を加えて炒め、塩小さじ¼とこしょう少々で味を調える。グラタン皿にケチャップライスを入れ、具入りのホワイトソースをのせ、粉チーズ大さじ2をふって220℃のオーブンで10分焼く。

3章 »» 魚介のベストメニュー

🏷 焼く

さけのムニエル

魚は多めの塩をふることで、
魚の臭みが取れます。
それをさっと洗って落とし、
水けをふけば
おいしく仕上がります。
ほかにたいやひらめなどでも。

＊材料（2人分）
生ざけの切り身……2切れ
塩、こしょう、小麦粉……各適量
植物油、バター……各大さじ1½
ソース
　┌ バター……大さじ4
　│ レモンの絞り汁……小さじ1
　└ スライスアーモンド……小さじ2
パセリのみじん切り……小さじ1

＊つけ合わせ
じゃが芋……1個
ラディッシュ……2個
レモンのくし形切り……2個

下ごしらえ

作り方1参照

＊つけ合わせの準備
じゃが芋は、皮をむいて4つに切り、柔らかくゆでて湯を捨てる。火の上で鍋を揺すって粉ふき芋にし、塩、こしょう各少々（分量外）をふる。ラディッシュは飾り切りにする。

ソースをかえてもう一品
トマトソースがけムニエル

ムニエルは同じように作る。トマト1個は種を除いて粗みじん切りにし、オリーブ油大さじ1、酢小さじ½、塩、こしょう各少々と混ぜてムニエルにかけ、チャービルを添える。

＊作り方

1≫ 塩をふる
さけは多めの塩をふって10分ほどおく。さっと洗い、キッチンペーパーで水けをふく。

ADVICE
塩で魚の生臭さを浮かし、洗って塩とともに落とします

両面に塩を1つまみずつとこしょうをふって、小麦粉をまぶして余分な粉を落とす。

2≫ 焼く
フライパンに油とバターを入れて中火にかけ、バターが溶けたらさけを皮がついている側を下にして入れ、こんがりと焼く。

ADVICE
魚は盛りつけるときに上になる側から焼きます

裏返して、同じようにこんがりと焼いて器に盛る。

3≫ ソースを作る
小鍋にバターを入れて中火で溶かし、アーモンドを加えて茶色く色づくまで炒める。火からおろしてレモン汁を混ぜてさけにかける。パセリを散らし、つけ合わせを添える。

焼く

ぶりの照り焼き

ぶりをこんがり焼いてから脂をしっかりふき取って調味料を加えると、すっきり味に。さわらなどでもおいしく作れます。

生徒の声 簡単なんですが、おいしくできます（28歳・薬剤師）
日々のおかずに重宝しています（30歳・会社員）

＊材料（2人分）
ぶりの切り身……2切れ
　塩……小さじ1/3
たれ
├ しょうゆ……大さじ1 1/2
├ 酒……大さじ1
└ みりん……大さじ2
植物油……小さじ1

＊つけ合わせ
いんげん……2本

下ごしらえ
― 作り方1参照
＊たれの準備
たれの材料は混ぜ合わせる。
＊つけ合わせの準備
いんげんはゆでて長さを3等分に切る。

＊作り方

1》塩をふる
ぶりは塩をふって10分ほどおく。さっと洗い、キッチンペーパーで水けをふく。
ADVICE 洗って塩とともに生臭さを落とします

2》焼く
フライパンに油を入れて中火にかけ、ぶりを皮がついている側を下にして入れ、こんがりと焼く。裏返して、同じようにこんがりと焼き、余分な脂をキッチンペーパーでふき取る。

3》味をつける
合わせたたれを加え、スプーンですくいかけながら照りをつけ、器に盛っていんげんを添える。
ADVICE ぶりはいじらないで！　たれをすくいながらかけて味をからめて

3章 》》 魚介のベストメニュー

煮る

アクアパッツァ

イタリア版煮魚。魚を焼きつけてから、煮汁をかけながら仕上げます。
おもてなしなら丸ごと一尾、家庭用なら切り身魚で作っても。

✳︎ 材料（2人分）
いさき（または鯛、たらなど）……1尾
あさり……150g
ミニトマト……6個
にんにく……1かけ
アンチョビ……1枚
黒オリーブ……4個
ローズマリー（あれば）……1枝
A ┌ 塩……小さじ⅓
　├ こしょう……少々
　└ 小麦粉……大さじ2
白ワイン……大さじ2
水……カップ⅔
オリーブ油……大さじ3

下ごしらえ

- ミニトマトはへたを除く。
  にんにくはたたきつぶして半分に切り、
  アンチョビは細かく刻む。 
- あさりは砂を吐かせ（P.40参照）、
  殻と殻をこすり合わせて洗う。
- いさきはうろこをこそげ取り、
  腹に切り込みを入れて
  内臓、えらを除く（P.40参照）。
  魚の下ごしらえは、魚売り場で
  やってもらうとよい。

✳︎ 作り方

1» 魚を焼く

いさきは外側と腹の中にAの塩とこしょうをふり、小麦粉をまぶす。フライパンにオリーブ油を熱し、いさきを入れて中火で焼く。こんがり焼けたら裏返して、同じようにこんがりと焼く。

ADVICE
魚は頭を左にして盛るので、まずは頭を右にして焼きます

2» 具を炒める

空いたところににんにくとアンチョビを入れて、香りが出るまで炒める。

ADVICE
フライパンを傾けて油の中で加熱すると焦げません

魚の周囲にあさり、黒オリーブ、ミニトマトを入れ、白ワインを周囲の具に回しかけて煮立て、アルコール分をとばす。

3 » 煮る

分量の水を加えて煮立て、汁をスプーンですくって魚に回しかけながら中火で10分ほど煮る。塩、こしょう（各分量外）で味を調え、ローズマリーを添える。

> 煮汁をすくいかけながら煮るのがアクアパッツァ。あさりの口が開いたらでき上がり

> 簡単なのに豪華。しかも20分でできるのでおもてなしにおすすめ！

3章 »» 魚介のベストメニュー

煮る

えびのチリソース煮

殻と身の間にうまみがあるので、殻つきで仕上げます。
さっと炒めて、チリソースを煮詰めて味をからめます。

生徒の声 家族、友人から「今まで食べた中で一番おいしい」と言われました（29歳・会社員）
この味、大好きです（30歳・会社員）

✻ 材料（2人分）

えび（無頭・殻つき）……8尾
長ねぎ……10cm
しょうが……1かけ

A ┌ 溶き卵……½個分
　├ 酒、片栗粉……各大さじ1
　└ 塩……小さじ¼

B ┌ トマトケチャップ……大さじ3
　├ しょうゆ、酒、砂糖……各大さじ1
　├ 豆板醤（トウバンジャン）……大さじ⅔弱
　├ 塩……小さじ⅓
　├ こしょう……少々
　├ 片栗粉……大さじ⅔
　└ 中華風スープ＊……カップ⅔

植物油……小さじ2

＊中華風スープや鶏がらスープの素を表示どおりに湯で溶いたもの。

下ごしらえ

- えびは足を除く。
- 長ねぎとしょうがはみじん切りにして混ぜ合わせる。
- ＊合わせ調味料の準備 A、Bの材料はそれぞれ混ぜ合わせる。

✻ 作り方

1» えびに下味をつける

えびは背に切り込みを入れて開き、背わたを除く（P.40参照）。

ADVICE 殻からもうまみが出るので、殻は除きません

ボウルに入れ、Aを加えて手でもみ込む。

2» 炒める

フライパンに油を熱し、えびを入れて強火でさっと炒める。

さっとでOK。えびに火が入りすぎたらダメ

色が変わったら長ねぎとしょうがの半量を加えて、中火で香りが出るまで炒め合わせる。

3 » 煮る

Bを加えて、とろみがつくまで混ぜながら煮る。

ADVICE
合わせ調味料は直前にもう一度混ぜて。片栗粉が沈んでいます

器に盛り、残りの長ねぎとしょうがを散らす。

味をかえてもう一品

マイルドえびチリ

えびのチリソース煮の仕上げに卵2個を溶いて加え、余熱で火を通してふわっと仕上げる。

煮る

かれいの煮つけ

煮汁をかけながら仕上げて、
味をからめます。
ごぼうを下に敷いて煮ると
魚がくっつくのを防ぎ、
つけ合わせにもなります。

* **材料**（2人分）
子持ちかれいの切り身……2切れ
ごぼう*……10cm
しょうが……2かけ

A ─ 酒……カップ⅔
  ─ みりん……大さじ2強
  ─ しょうゆ……大さじ1½
  ─ 砂糖……大さじ1

*れんこんでもよい。

下ごしらえ

- かれいは皮目に切り込みを入れる。
- ごぼうは皮を包丁の背でこそげ、長さを半分に切って縦4つに切る。
- しょうがは薄切りにする。

* **作り方**

1 » 湯通しする

鍋に湯を沸かし、かれいをフライ返しなどにのせ、湯の中に2～3秒つけて、すぐに引き上げる。もう1切れも同じようにする。

ADVICE
これが湯通し。魚の臭みを落とします

2 » 煮る

フライパンにAを入れて煮立て、ごぼうとしょうがを入れ、かれいを並べ入れる。

ADVICE
かれいは煮汁が煮立ったところに加えます

落としぶた（P.66参照）をして、強めの中火で5分ほど煮る。落としぶたを取り、スプーンで煮汁をすくいかけながら照りが出るまで煮詰める。

ADVICE
特に卵の部分は火が通りにくいので、集中的に

かれいを器に盛り、煮汁をかけてごぼうを添える。

> 揚げる

わかさぎの南蛮漬け

揚げたてを、野菜たっぷりの南蛮酢につけ込みます。魚はさけやあじ、さば、白身の魚などでも。冷蔵庫で2～3日は日持ちするので常備菜にもおすすめ。

生徒の声 もともとは苦手でしたが、教室で食べておいしさに目覚めました(30歳・会社員)
夫の大好物です(38歳・会社員)
日持ちするので、いろいろな魚で作ります(36歳・広告業)

＊材料(2人分)
わかさぎ……約15尾(150g)
長ねぎ……1/2本
にんじん……1/3本
ピーマン……1個
赤唐辛子……1本
塩、小麦粉……各適量
A ┌ 酢……大さじ5
　│ しょうゆ……大さじ3
　│ 酒、みりん……各大さじ1 1/2
　│ 砂糖……小さじ2
　└ 塩……小さじ1/3
揚げ油……適量

下ごしらえ

- 長ねぎは長さを半分にし、にんじんとともにせん切りにする。ピーマンは縦半分に切ってへたと種を除いて、縦にせん切りにする。
- 赤唐辛子は小口切りにする。

味をかえてもう一品
エスカベッシュ
玉ねぎ1/3個、にんじん、セロリ各1/4本はせん切りに、にんにく小1かけはみじん切りにし、酢、オリーブ油各カップ1/4、砂糖小さじ1、塩小さじ1/2、こしょう少々と混ぜる。わかさぎは同じように揚げてつける。

＊作り方

1 » つけだれを作る
バットなどに野菜を合わせ、Aを混ぜ合わせて加える。

ADVICE 揚げたての魚をつけたいので、たれは絶対に揚げる前に準備

2 » わかさぎを揚げる
わかさぎに塩を多めにふってもみ、表面のぬめりを取るように水でさっと洗う。水けをふき、軽く塩をふって、小麦粉をまぶして余分な粉を落とす。中温(170℃)の揚げ油にわかさぎを入れ、カリッとするまで6～7分揚げる。

ADVICE 油に入れたら、1分はいじらない！

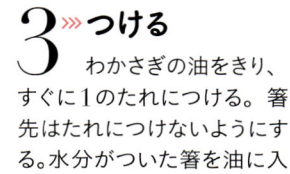

3 » つける
わかさぎの油をきり、すぐに1のたれにつける。箸先はたれにつけないようにする。水分がついた箸を油に入れると、油がはねるので注意。

ADVICE 野菜を端に寄せてわかさぎを入れ、味をからめます

> 揚げる

かにのクリームコロッケ

ホワイトソースの作り方はグラタンと同じですが、かために作ります。
パン粉はできれば細かくしたもので。口当たりがよくなります。

生徒の声 クリームコロッケは憧れ。上手になりたい料理です（33歳・会社員）

＊材料（4個分）
- かにの身（生または缶詰）……60g
- 玉ねぎ……1/4個
- マッシュルーム……6個
- ブランデー（または白ワイン）……大さじ1
- 塩……1つまみ
- 白こしょう（または黒こしょう）……少々
- ホワイトソース
  - バター、小麦粉……各30g
  - 牛乳……カップ1
    （または牛乳160ml＋生クリーム40ml）
  - 塩……小さじ1/5
  - 白こしょう（または黒こしょう）、
    ナツメグパウダー（あれば）……各少々
  - ローリエ……1枚
- 衣
  - 小麦粉、パン粉……各適量
  - 溶き卵……1個分
- バター……小さじ1
- 揚げ油……適量

＊つけ合わせ
- ミックスベビーリーフ……適量

下ごしらえ

ホワイトソース（作り方1参照）

かには軟骨を除いてほぐす。

玉ねぎと石づきを除いたマッシュルームは粗みじん切りにする。

＊衣の準備
パン粉はミキサーやフードプロセッサーにかけて細かくする。

＊作り方

1 » ホワイトソースを作る（P.54参照）

厚手の鍋にバターを入れて中火にかけ、溶けたら小麦粉をよく炒める。フツフツとしてきたら火からおろし、ぬれぶきんの上にのせて冷ましながらサラサラになるまで混ぜる。牛乳、塩、白こしょう、ナツメグ、ローリエを加えてよく混ぜ、中火にかけてぽってりするまで混ぜながら煮詰める。

2 » 具を炒める

鍋を熱してバターを溶かし、玉ねぎ、マッシュルームを中火で炒める。玉ねぎがしんなりしたらブランデーを加え、煮立てて汁けをとばし、塩、白こしょうをふる。

ADVICE 汁けはしっかりとばします

火を止め、かにを加えて混ぜる。

ADVICE うまみがなくなるので、かには炒めません

3 » たねを作る

2にホワイトソースを加えて混ぜ合わせ、バットに広げて粗熱をとる。ラップをぴったりかけて冷蔵庫で完全に冷ます。

たねを4等分し、手でギュッと握って俵形に成形する。

ADVICE
ギュッと握って空気を抜き、さらに表面はなめらかに

4 » 揚げる

3に小麦粉をまぶし、溶き卵にくぐらせ、パン粉をつける。もう一度、卵にくぐらせてパン粉をつける。

油に入れたら1分は絶対にさわらない！ そっと1回だけ転がして

穴あきお玉などにのせ、高温（180℃）の揚げ油に静かに入れる。2分ほど揚げ、衣がカリッとなったら引き上げて油をきる。器に盛り、ベビーリーフを添える。

すぐに役立つ 料理の基本 ❸

ホワイトソースの作り方

柔らかいグラタン用も、少しかためのコロッケ用も作り方は同じ。焦がさないように、煮詰めましょう。

ホワイトソース・グラタン用 (P.42)

＊**材料**（グラタン4人分）
バター、小麦粉……各70g
牛乳……カップ4（または牛乳カップ3＋生クリームカップ1）
塩……小さじ½
白こしょう（または黒こしょう）、ナツメグパウダー（あれば）……各少々
ローリエ……1枚

1 厚手の鍋（直径18cmくらい）にバターを入れて中火にかけ、すべて溶けたら小麦粉を加えてよく炒める。

- バターを溶かす。
- 小麦粉を一度に加える。 
- 粉とバターがなじむように炒める。 
- 粉とバターがなじみました。 
- さらに炒め、フツフツと泡立つまで炒める。 

2 鍋を火からおろして、ぬれぶきんの上にのせ、粗熱をとりながら、サラサラになるまでさらに混ぜる。

- 冷ましながらさらに混ぜる。

3 牛乳を加え、残りの材料もすべて加えてよく混ぜ、再び中火にかける。絶えず混ぜながら火を通し、とろみがつき、フツフツと煮立ってきたらでき上がり。

- 牛乳を一気に加える。
- 鍋底から絶えず混ぜて焦がさないこと。 
- フツフツと煮立ったらでき上がり。 

ホワイトソース・コロッケ用 (P.52)

＊**材料**（コロッケ4個分）
バター、小麦粉……各30g
牛乳……カップ1（または牛乳160ml＋生クリーム40ml）
塩……小さじ⅙
白こしょう（または黒こしょう）、ナツメグパウダー（あれば）……各少々
ローリエ……1枚

作り方はグラタン用と同じ。ただし、水分量が少ないため、より焦げやすいので注意する。

すぐに役立つ 料理の基本 ❹

だし汁のとり方

洋風、中華風に比べれば、昆布と削り節と水で簡単にとれる和風のだし汁。だし汁をおいしくとれば、ほぼ味が決まります。

＊**材料**（でき上がり約カップ3）
水……カップ4
昆布……15cm長さ1枚（10～15g）
削り節……たっぷり1つかみ（10～15g）

1 分量の水と昆布を鍋に入れ、昆布がもどるまで30分以上おく。

2 鍋を弱めの中火にかけて10分ほど加熱し、沸騰する直前に昆布を引き上げる。

3 すぐに削り節を一気に加え、グラッと沸いたら3秒ほど加熱して火を止める。厚手のキッチンペーパーを敷いたざるを通してこす。

- できれば一晩おくとよい。そのときは冷蔵庫に入れる。
- ゆっくりと加熱して昆布のうまみを煮出す。 
- グラッときたら一呼吸（3秒ほど）おいて火を止める。 
- ざるでこす。

4章

家族がみんな大好き
卵と豆腐のベストメニュー

*

冷蔵庫にいつもある卵と豆腐。
溶いて調味料と混ぜて焼けば卵焼き、
粉をまぶして揚げれば揚げ出し豆腐など
少ない材料で、ご飯がすすむ一品に。
献立に困ったときに活躍します。

中華せいろは、蒸し物料理に大活躍。
器が入る、大きめのものがおすすめ。

焼く

だし巻き卵

卵焼きといえば、これ。基本になるので、ぜひマスターして。弱めの火加減ではうまく焼けません。意外に強めの火加減で焼き上げるのがポイントです。

生徒の声 先生の手つきを思い出しながら、何度も練習しています（43歳・会社員）

✳︎材料（2人分）
卵……4個
A ┌ だし汁（P.54参照）……大さじ6
　├ 薄口しょうゆ……大さじ1/2
　└ 砂糖、みりん……各小さじ1
植物油……適量
大根おろし……適量
しょうゆ……適宜

下ごしらえ

✳︎合わせ調味料の準備
Aは混ぜ合わせる。

卵焼き用のへら
持ち手が短く、へらの部分の幅が広くて卵が巻きやすく、きれいに巻ける。

✳︎作り方

1 » 卵を溶く
ボウルに卵を割り入れ、菜箸を立てて持ち、先端を底につけながら左右に手早く動かしてほぐす。Aを加えて、よく混ぜる。

ADVICE 卵は泡立ててはダメ。菜箸を左右に振るようにしてほぐします

2 » 油をひく
卵焼き器を熱し、多めの油を入れていったんあける。キッチンペーパーで底と側面をふいてなじませる。

ADVICE この油がしみたペーパーを後で使うので、捨てないで

卵焼き器を強めの中火で熱し、卵液を数滴落として温度をチェックする。

ADVICE ジュッと音がすればOK

3 » 焼く
1回目。中火にして卵液の1/3量を流し入れ、フライパンを揺すって全体に広げて焼く。底が固まってきたら端をはがして持ち上げ、クルクルと巻く。

ADVICE 手前→向こう、向こう→手前、巻く向きはやりやすいほうで

2回目。油がしみたキッチンペーパーで空いた部分をふき、残りの卵液の半量を流し入れる。卵焼きを持ち上げ、卵焼きの下にも卵液を流し入れる。底が固まってきたら、卵焼きを持ち上げて、クルクルと巻く。残りの卵液も同じようにして焼く。

卵焼きの下に流し入れるのを忘れずに

4 » 仕上げる

厚手のキッチンペーパーやふきんをぬらしてかたく絞り、ここに卵焼きをのせて包んで形を整え、軽い重しをのせて落ち着かせ、冷ます。

ADVICE
きっちり包んで冷ませば、きれいな形になります

食べやすい厚さに切り、器に盛って大根おろしを添え、好みでしょうゆをかける。

味をかえてもう一品
関東風卵焼き

卵4個を溶きほぐし、だし汁大さじ2、薄口しょうゆ大さじ½、みりん大さじ1、砂糖小さじ2を混ぜて、だし巻き卵と同じように焼く。

> 焼く

かに玉

かにの身で作れば豪華ですが、かに風味かまぼこや、えびで作っても。
片面だけ焼いて、底はカリカリで中はフワフワとろとろに仕上げます。

✻ 材料（2人分）
卵……4個
かにの身（生または缶詰）……50g
干ししいたけ……1枚
ゆで竹の子……30g
にんじん（細い部分）、長ねぎ……各4cm
グリンピース（缶詰または冷凍）……大さじ1
A ┌ しょうゆ、酒、砂糖……各小さじ1
　└ 塩、こしょう……各少々
甘酢あん
　┌ しょうゆ……小さじ2
　│ 酢、トマトケチャップ、砂糖……各大さじ½
　│ 片栗粉……小さじ2
　└ 中華風スープ*……カップ⅔
植物油……大さじ1½

＊中華風スープや鶏がらスープの素を
　表示どおりに湯で溶いたもの。

下ごしらえ

- かにには軟骨を除いてほぐす。 
- 竹の子、にんじん、長ねぎは4cm長さのせん切りにする。
- 干ししいたけは水でもどし（P.66参照）、軸を除いてせん切りにする。

✻ 作り方

1» 卵を溶く

ボウルに卵を割り入れ、菜箸を立てて持ち、先端を底につけながら左右に手早く動かしてほぐす。

> ADVICE
> 卵はほぐし過ぎると、コシがなくなって水っぽくなるので注意。10往復ぐらいにして

2» 具を炒める

フライパンに油大さじ½を熱し、干ししいたけ、竹の子、にんじん、長ねぎを中火で炒め、しんなりしたらAを加えて混ぜる。バットなどに取り出し、粗熱が取れたらかにを混ぜる。1のボウルに加えて混ぜる。

3» 甘酢あんを作る

小鍋に甘酢あんの材料を入れて強火にかけ、木べらで絶えず混ぜてとろみをつける。

> ADVICE
> ダマにならないよう、鍋底からしっかり混ぜて

とろみがついたらグリンピースを加えて火を止める。

4 » 卵を焼く

小さめのフライパン（直径20cm）を強めの中火にかけ、手をかざして熱いと感じるくらいになったら油大さじ1をなじませ、卵液を一気に流し入れる。

ADVICE
恐る恐る弱い火で焼いていると、ふんわり感が出ません。火は強めに

すぐに全体を大きく混ぜながら焼き、卵が固まりだしたら混ぜるのをやめて、底に焼き色がつくまで焼く。フライパンに皿をかぶせ、一気にフライパンをひっくり返して盛り、甘酢あんをかける。

片面だけ焼きます。底に焼き色がついたら焼き上がり

どんぶりにしてもう一品

天津丼

温かいご飯茶碗2杯分に、かに玉をのせ、甘酢あんをかける。卵液を半量にし、かに玉を1人分ずつ作ってもよい。

4章 »» 卵と豆腐のベストメニュー

炒める

麻婆豆腐

豆腐をおいしく食べるための料理。ひき肉は、炒めるというよりも
しっかりと焼きつけ、豆腐を加えたら煮くずれないように仕上げるのがコツ。

生徒の声 おいしすぎて、毎日のように作っていた時期があります（36歳・会社員）
本格的な味を簡単に作ることができます（44歳・主婦）　主人の大好物です（35歳・主婦）

✽ 材料（2人分）

- 木綿豆腐……小1丁（250g）
- 豚ひき肉……60g
- 長ねぎ……10cm
- しょうが……1かけ
- 豆板醬（トウバンジャン）……小さじ1
- 甜麺醬（テンメンジャン）……大さじ½
- A
  - 豆豉（トウチ）のみじん切り……大さじ½
  - しょうゆ、酒……各大さじ½
  - みりん……小さじ1
- 中華風スープ＊……カップ1
- 水溶き片栗粉
  - 片栗粉……大さじ½
  - 水……大さじ1
- ごま油……大さじ1½
- 花椒（ホワジャオ）＊＊または粉ざんしょう……少々

＊中華風スープや鶏がらスープの素を
　表示どおりに湯で溶いたもの。
＊＊中国のさんしょうと呼ばれる。

下ごしらえ

豆腐は2cm角に切る。
長ねぎ、しょうがはみじん切りにする。

＊合わせ調味料の準備
Aを混ぜ合わせる。

豆豉
中国料理に使われる調味料で、
豆みその一種。うまみがあり、
加熱すると風味が出てコクになる。

✽ 作り方

1 » ひき肉を焼く

フライパンにごま油大さじ½を熱し、ひき肉を入れて平らにならして強めの中火で焼きつける。

> 平らにしたら、
> 絶対にいじらないこと！
> このままの形を
> キープ

しっかりと焼き色がついたら、ひき肉をまとめてひっくり返し、同じように焼きつける。

2 » 薬味野菜を炒める

ひき肉がこんがりと焼けたら、長ねぎとしょうがの半量を加え、中火にしてひき肉をほぐしながら炒める。

ADVICE
薬味野菜を入れたら、はい、ここからは炒めます

香味野菜がしんなりしたら豆板醬と甜麺醬を加えて、炒め合わせる。

3 » 煮る

調味料がなじんだらAとスープを加え、煮立ったら豆腐を静かに加え、ごま油大さじ1を回しかけ、強めの中火にして4分ほど煮る。ときどきフライパンを揺すり、豆腐に味をからめる。

ADVICE
豆腐がくずれないように、そっと入れて。くずれたら水っぽくなっちゃうわよ

4 » とろみをつける

豆腐を端に寄せて中火にし、空いたところに水溶き片栗粉を加え、鍋底をこするようにしてとろみを全体に行き渡らせる。残りの長ねぎ、しょうがを散らして火を止め、器に盛って花椒をふる。

素材をかえてもう一品

麻婆なす

なす3本は皮をむいて縦8等分に切り、さらに斜め半分に切る。豚ひき肉50gは塩、こしょう各少々を混ぜる。長ねぎ10cm、しょうが、にんにく各1かけはみじん切りにする。フライパンに植物油大さじ4を熱し、なすを焼いて取り出す。フライパンを熱してひき肉を炒め、香味野菜の半量を加え、豆板醤、甜麺醤各小さじ1を加えて炒める。麻婆豆腐のA、酢小さじ1½、中華風スープカップ½、片栗粉小さじ2を混ぜたものを加えてとろみをつけ、なすを戻してゆでた枝豆30gを加える。器に盛り、残りの香味野菜をのせる。

● 揚げる

揚げ出し豆腐

豆腐はあまり水けをきらないほうが、おいしく仕上がります。粉は２度づけすると、カリッと揚がります。

生徒の声 夫の好物です（40歳・会社員）
夫婦ともにお豆腐が好きでよく作ります。揚げ餅のようで本当においしい（37歳・会社員）

＊材料（2人分）
木綿豆腐……½丁（150g）
大根……3cm
万能ねぎ……2〜3本
しょうが……1かけ
片栗粉……大さじ4
揚げ油……適量
しょうゆ……適量

下ごしらえ

＊薬味の準備
大根、しょうがはすりおろす。万能ねぎは小口切りにする。

豆腐は半分に切る。

＊作り方

1 » 豆腐の水けをきる（P.66参照）

豆腐は皿などにのせ、そのまま15分ほどおいて水けをきり、キッチンペーパーで水けをふく。

2 » 片栗粉をまぶす

揚げる直前に、豆腐の全面に片栗粉をまぶしつける。もう一度片栗粉を全面にまぶしつける。

ADVICE 揚げる直前に２度づけ。これでカリッと揚がります

3 » 揚げる

中温（170℃）の揚げ油に豆腐を入れ、全体がきつね色になるまで4〜5分かけて揚げる。

ADVICE 入れたら1分はさわらないこと！

器に盛り、薬味をのせ、しょうゆをかける。

味をかえてもう一品

あんかけ揚げ出し豆腐

木綿豆腐½丁は同じように水きりをして、片栗粉をつけて揚げる。小鍋にだし汁カップ½、薄口しょうゆ、みりん各小さじ1を入れて煮立て、水溶き片栗粉（片栗粉小さじ1＋水小さじ2）でとろみをつけ、豆腐にかけ、斜めに切った万能ねぎを添える。

あえる

五目白あえ

地味ですが、
和食のワザが詰まった一品。
材料を一つ一つ準備する手間が
かかりますが、すべてを混ぜると
極上の味わいに。

✳︎ 材料（2人分）
木綿豆腐……¼丁（75g）
干ししいたけ……1枚
こんにゃく……⅛枚
にんじん……15g
大根……50g
絹さや……4枚
A ┌ 干ししいたけのもどし汁……カップ½
  │ 砂糖……大さじ1
  └ しょうゆ……小さじ1
いり白ごま……大さじ1
B ┌ 砂糖、みりん……各大さじ½
  │ 白みそ……小さじ2
  └ 塩、薄口しょうゆ……各少々

下ごしらえ

豆腐はキッチンペーパーで包んで重しをして、厚みが元の8割になるまで30分ほどおく（P.66参照）。

干ししいたけは水でもどし（P.66参照）、軸を除いてせん切りにする。
にんじん、大根は3cm長さのせん切りにする。
こんにゃくは下ゆでし（P.66参照）、細切りにする。

絹さやは
さっとゆで、
せん切りにする。

＊あえ衣の準備
Bのみりんは小鍋に入れ、一煮立ちさせてアルコール分をとばして煮きる（P.66参照）。

✳︎ 作り方

1 ≫ 具を作る
小鍋に干ししいたけとAを入れて、5分ほど強火で煮る。にんじん、大根を合わせ、塩2つまみ（分量外）を加えて軽くもみ、さっと洗って水けをしっかり絞る。

ADVICE
水けは味を落とすのでしっかり絞る！

小鍋にこんにゃくを入れ、強火でからいりして、冷ます。

ADVICE
こんにゃくは、ピシピシと音がしてはじけるまで水分をとばします

2 ≫ あえ衣を作る
すり鉢に白ごまを入れ、粒がなくなるまでする。豆腐を加えて、さらになめらかになるまですり、Bを加えて混ぜる。

ADVICE
ごまからすると、香りも味も数段おいしくなります

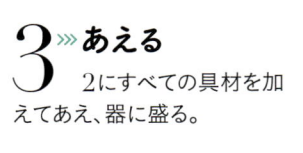

3 ≫ あえる
2にすべての具材を加えてあえ、器に盛る。

4章 ≫≫ 卵と豆腐のベストメニュー

蒸す

茶碗蒸し

卵液の作り方、蒸し方を覚えれば、具は白身魚や
かまぼこなどにしてもいいし、和風も中華風も幅が広がります。

生徒の声 家で作ったら、夫が本当に喜んでくれました（35歳・会社員）
ちょっとしたもてなしにも使えます（34歳・会社員）　味が絶妙（28歳・会社員）

＊材料（2人分）
卵（Sサイズ）……2個
えび（無頭・殻つき）……2尾
鶏ささ身……1本
三つ葉……4本
ゆでぎんなん……4個
塩……1つまみ
酒……少々

A ┌ だし汁（P.54参照）……カップ1½
　├ 薄口しょうゆ……大さじ½
　├ 酒、みりん……各小さじ½
　└ 塩……小さじ¼

下ごしらえ

- 三つ葉は2本ずつ合わせて結ぶ。
- えびは殻をむき、尾の先端を少し切り、背わたを除く（P.40参照）。
- ささ身は筋を除き、薄くそぎ切りにする。

＊作り方

1 » 湯通しする

えびとささ身に塩をふり、酒をからめる。鍋に湯を沸かし、網じゃくしなどにえびとささ身をのせ、湯の中に2〜3秒つけて、すぐに引き上げる。

ADVICE　さっと湯通しするだけで、アクが抜けます

2 » 卵液を作る

ボウルに卵を割り入れ、菜箸を立てて持ち、先端を底につけながら左右に手早く動かしてほぐす。

Aを加えてよく混ぜ、目の細かいざるを通してこす。

必ずこして。口当たりが断然違います

3 » 蒸す

器にえび、ささ身、ぎんなんを等分に入れ、卵液を静かに注ぐ。蒸気が上がったせいろや蒸し器に入れ、ふたをして強火で3分蒸し、さらに弱めの中火で12分ほど蒸す。三つ葉をのせて、さらに1分蒸す。

ADVICE
もてなし用には、えび、ぎんなんを残し、蒸し始めから10分後に後のせすると上に浮いて華やかに

ADVICE
竹串を刺して、澄んだ汁が上がれば蒸し上がり

＊蒸し器のふたを開けるときは、蒸気に注意する。

● 味をかえてもう一品

中華風茶碗蒸し

えび2尾は殻と尾と背わたを除き、ロースハム2枚、あさつき5本はみじん切りにする。ボウルに卵3個を溶きほぐし、中華風スープ＊カップ3、しょうゆ小さじ2、みりん、塩各小さじ2/3を加えて混ぜ、大きめの器に入れる。えび、ハム、あさつきの3/4量を加えて強火で5分、弱めの中火にして15〜17分蒸す。残したえびなどを散らしてさらに1〜2分蒸す。

＊中華風スープや鶏がらスープの素を表示どおりに湯で溶いたもの。

4章 »» 卵と豆腐のベストメニュー

すぐに役立つ 料理の基本 ⑤

料理の言葉

レシピには、料理ならではの言葉が登場し、「？」と思うこともしばしばでは。本書に出てくる「？」と思う言葉を集めてみました。

アクをすくう
材料を煮るときに、表面に浮いてくる細かくて消えない泡がアク。この泡をアクすくいや玉じゃくしなどですくって除くこと。ボウルに張った湯や水ですすぎながらくり返す。

粗熱をとる
加熱直後の熱を、湯気が立たない程度まで冷ますこと。

石づきを除く
石づきは、きのこを栽培しているときに土や木についていた部分。最近のきのこは石づきがわかりにくいので、根元の汚れた部分を切り落とすこと。

落としぶた
材料の上に直接のせる、鍋よりも一回り小さいふたのこと。煮汁がまんべんなく行き渡って味のなじみがよくなる。クッキングシートを鍋に合わせて切ったものがおすすめ。

[作り方] クッキングシートを鍋の口径より少し大きめに切って4等分に折り、中心を基点にさらに2回折る。鍋の半径よりやや小さめに切り、先端とわに重なった辺に3ヵ所ほど切り込みを入れ、広げて使う。

こそげる
鍋底についたものを、木べらなどでこすって落とすこと。また、包丁の刃や背で、魚のうろこや野菜の皮をこすり落とすこと。

さらす
材料を水（または塩水や酢水）につけてアクなどを除いたり、歯ざわりよく仕上げたりすること。

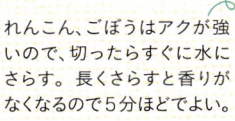

れんこん、ごぼうはアクが強いので、切ったらすぐに水にさらす。長くさらすと香りがなくなるので5分ほどでよい。

煮きる
料理に加えるみりんや酒を煮立てて、アルコール分を蒸発させること。アルコール分がとんで、マイルドになる。

下ゆで
火の通りにくい材料や、アクが強い材料を、調理前にゆでておくこと。

アクが強いごぼう、ぬめりが強い里芋は、煮る前にさっとゆでてアクやぬめりを落とす。

しらたきやこんにゃくは水からゆでて、沸騰したら2〜3分ゆでると、アクと独特のにおいが抜ける。

繊維にそって切る
断ち切るように切る
「そって切る」は、材料を切るときに筋（繊維）に平行に包丁を入れること。「断ち切る」は、筋（繊維）に直角に包丁を入れること。

豆腐の水きり
豆腐が含む水分を除くこと。料理によって軽く除く場合と、しっかり除く場合がある。

[軽く水きり]
料理に合わせた大きさに切り、皿やバットなどにのせて自然に水けが出てくるのを待ち、調理前に表面の水けをキッチンペーパーでふく。

[しっかり水きり]
豆腐をキッチンペーパーに包んで、重し（バットやまな板などの平らなもの）をのせて水けをきる。

もどす
干ししいたけや春雨などの乾物を、水やぬるま湯につけたり、ゆでたりして乾燥前の柔らかい状態にすること。

[干ししいたけ]
干ししいたけはさっと洗い、ボウルに入れてかぶるくらいの水を注ぎ、浮かないように小皿などをのせて1〜2時間、できれば半日ほどおいてもどす。

[春雨]
鍋に湯を沸かし、春雨を入れて2〜3分ゆでる。ざるに上げて水けをきって冷ます。

ゆでる
煮立っている湯に材料を入れ、短時間で火を通したり、アク抜きしたりすること。

[青菜をゆでる]
1 鍋にたっぷりの湯を沸かし、塩少々（色よくゆでるため）を加え、青菜を根元から入れる。茎がしんなりしてきたら、菜箸で押し込むようにして葉まで湯に浸す。葉の色が変わったら裏返し、全体をむらなくゆでる。

2 すぐに冷水または氷水にとって冷ます。急激に冷やすことで、色も鮮やかになり、歯ごたえもよくなる。

[いんげんなどをゆでる]
いんげんやアスパラガス、ブロッコリーなどは、たっぷりの湯を沸かし、塩少々を加えてゆで、色よくなったら水にとらずにざるに上げて冷ます場合もある。これを「陸上げ（おかあげ）」という。

湯通し
材料を煮立った湯にさっとつけて、すぐに取り出すこと。これで材料のアクや臭みが落ちる。さっと湯を通すことで、表面だけが白くなるので「霜降り」とも呼ぶ。

5章

野菜がたっぷり食べられる
野菜のベストメニュー

＊

八宝菜や筑前煮など主菜になるものから、
サラダやあえ物などの副菜まで、
野菜がたっぷりのおかず。
健康のためにも欠かせないうえに、定番だから
食べ飽きないおいしさがあります。

サラダの野菜は、水けをしっかりきる！
水きり器が欠かせません。

炒める
きんぴらごぼう

きんぴらは根菜をよく炒めてから
調味料を加えて炒め煮にします。
鶏肉は肉と皮を分けると、
切りやすくなります。

生徒の声 簡単だからよく作ります（37歳・会社員）

たくさん作って常備できるので便利
（29歳・会社員）

鶏肉を入れると格段においしくなります
（28歳・会社員）

＊材料（2人分）
- ごぼう……1/2本
- にんじん……1/4本
- 鶏もも肉……30g
- 赤唐辛子……1/2本
- A ┌ しょうゆ、砂糖……各大さじ1
  └ みりん……大さじ1/2
- ごま油……大さじ1
- いり白ごま……小さじ1

下ごしらえ

- ごぼうは洗って皮をこそげ、5cm長さのせん切りにし、水に5分ほどさらす。にんじんも5cm長さのせん切りにする。赤唐辛子は小口切りにする。
- 鶏肉は皮をはがし、細切りにする。

＊作り方

1 》炒める
鍋にごま油を熱し、水けをきったごぼうとにんじんを入れて強めの中火でさっと炒め、鶏肉を加えて3分ほど炒める。しんなりしてきたら赤唐辛子を加える。

ADVICE 炒める順番が大事！ 野菜を炒めてから鶏肉、です

2 》味つけする
Aを加えて一混ぜする。野菜から水分が出るので、ときどき混ぜながら汁けがなくなるまで中火で煮る。器に盛って白ごまをふる。

ここまで汁けをとばして

> 炒める

五目野菜炒め

野菜は5種の中であるものでOK。でも、汁けを吸う春雨は必須。この順番で炒めると時間がたってもシャキシャキです。

❋ 材料（2人分）

- もやし……¼袋（50g）
- にら……¼束
- セロリ、にんじん……各¼本
- ピーマン……1個
- しょうが……1かけ
- 豚薄切り肉……30g
- 春雨（乾燥）……10g

A
- しょうゆ……小さじ½
- 塩……小さじ¼
- 酒……大さじ½
- 砂糖……小さじ⅓
- こしょう……少々

植物油……小さじ4

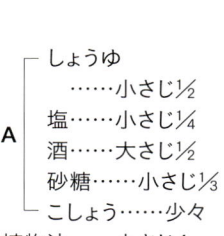

下ごしらえ

- 春雨はもどして（P.66参照）5cm長さに切る。
- もやしはひげ根を取る。にらは5cm長さに切る。セロリ、にんじん、へたと種を除いたピーマン、しょうがはせん切りにする。
- 豚肉は細切りにし、塩1つまみ、こしょう少々（各分量外）をふる。

❋ 作り方

1 » 野菜を炒める

フライパンに油小さじ2を熱し、にんじん、もやし、ピーマンを強火で30秒ほど炒めて、ざるに上げる。

ADVICE ほんとうにさっと炒めて

2 » すべて炒める

再びフライパンを熱し、油小さじ2を足し、豚肉としょうがを強火で肉の色が変わるまで炒め、にら、セロリ、春雨を加えて20秒ほど炒め、1を戻し入れる。中火にしてAを加えて混ぜ、強火で汁けをとばしながら炒める。

> 炒める

アスパラベーコン

ベーコンの脂で、アスパラを炒めます。ほかに小松菜や菜の花などの青菜でもおいしく作れます。

❋ 材料（2人分）

- グリーンアスパラガス……1束（細め7本）
- ベーコン……2枚
- にんにく……1かけ
- 塩……1つまみ
- 粗びき黒こしょう……少々
- 植物油……小さじ1

下ごしらえ

- アスパラガスは根元を少し切り落とし、斜めに切って穂先と根元に分ける。
- ベーコンは2cm幅に切る。にんにくは薄切りにする。

❋ 作り方

1 » ベーコンを炒める

フライパンに油を熱し、ベーコンを入れて中火で炒める。

ADVICE 脂が出るようにじっくり炒めて

2 » アスパラを炒める

ベーコンから脂が出てきたらアスパラガスの根元とにんにくを入れて強火で炒め、火が通ってきたら穂先を加えて炒め、塩、黒こしょうをふって味を調える。

炒める

八宝菜

いろいろな素材を合わせることでおいしさが生まれます。
下ごしらえができれば、仕上げはとてもシンプルです。

✻ 材料(2人分)

鶏胸肉……50g
いかの胴……½ぱい分(50g)
えび(無頭・殻つき)……6尾
ゆでうずら卵……4個
干ししいたけ……2枚
ゆで竹の子……40g
にんじん……⅕本
チンゲンサイ……½株

A ┌ 酒……小さじ1
  │ 塩……1つまみ
  │ こしょう……少々
  └ 片栗粉……大さじ1

B ┌ 中華風スープ*……カップ½
  │ しょうゆ、塩……各小さじ¼
  │ オイスターソース……小さじ½
  │ しょうがの絞り汁……小さじ⅓
  │ こしょう……少々
  └ 片栗粉……大さじ½

植物油……小さじ3

*中華風スープや鶏がらスープの素を表示どおりに湯で溶いたもの。

下ごしらえ

- 干ししいたけは水でもどし（P.66参照）、軸を除いてそぎ切りにする。
- にんじんは斜めに薄切り、竹の子は薄切りにする。チンゲンサイは一口大にそぎ切りにする。
- いかは皮をむき、一口大に切る。えびは殻と尾をむき、背に切り込みを入れて背わたを除く（P.40参照）。
- 鶏肉は一口大のそぎ切りにする。

*合わせ調味料の準備 Bを混ぜ合わせる。

✻ 作り方

1»下味をつける

鶏肉は塩、こしょう各少々（分量外）をふる。いかとえびはボウルに合わせ、Aを加えて手で混ぜる。

2»下炒めする

フライパンに油小さじ1を熱し、鶏肉を入れて、中火で両面を焼いて取り出す。

ADVICE 鶏肉は焼き色をつけないで、白く仕上げて

3»炒める

続けてフライパンに油小さじ2を足して熱し、にんじんを中火で炒める。

ADVICE かたいにんじんから炒めます

にんじんがしんなりしたら、竹の子、しいたけ、チンゲンサイを加えて強火で20秒ほど炒め、いか、えび、2の鶏肉、うずら卵を加えて炒める。

下ごしらえさえすませれば、仕上げは簡単です！

4 » 味をからめる

Bをもう一度混ぜて加え、中火でさっと炒める。再び強火にしてとろみがつくまで炒め合わせる。

片栗粉が沈んでいます。調味料は直前に混ぜて加えて

5章 »» 野菜のベストメニュー

煮る

筑前煮

いり鶏とも呼ばれる、鶏肉と根菜の煮物で和食の代表的料理。落としぶたをしたらいじらずに煮れば煮くずれしません。

生徒の声 両親に作ってあげたい料理です（26歳・会社員）

＊材料（作りやすい分量／約4人分）

- 鶏もも肉……小1枚（180g）
- 里芋……4個
- にんじん……1本
- れんこん……小1節
- ごぼう……½本
- ゆで竹の子……小1本（100g）
- 干ししいたけ……4枚
- 絹さや……5枚
- だし汁（P.54参照）……約カップ2
- 砂糖……大さじ4
- A ┌ しょうゆ……大さじ3
　　└ みりん……大さじ2
- ごま油……大さじ2

下ごしらえ

- 里芋は皮をむいて半分に切り、にんじんは乱切りにする。れんこんは皮をむいて大きめに乱切りにし、ごぼうは1cm幅に斜めに切る。竹の子は穂先と根元に分け、それぞれ縦に4等分に切る。
- 干ししいたけは水でもどし（P.66参照）、軸を除いて半分にそぎ切りにする。
- 絹さやは筋を除き、さっとゆでる。
- 鶏肉は一口大に切り、しょうゆ、酒各小さじ½（分量外）をからめる。

＊作り方

1 » 下ゆでする（P.66参照）

鍋に湯を沸かし、里芋、れんこん、ごぼうを入れてさっとゆで、ざるに上げて洗う。

2 » 炒める

鍋にごま油を熱し、1とにんじんを入れて強火で炒める。油がまわったら鶏肉と干ししいたけ、竹の子を加えて炒め合わせる。

3 » 煮る

だし汁をひたひたまで注ぎ、砂糖を加えて煮立てる。アクを取り、落としぶた（P.66参照）をして中火で5分ほど煮る。

ADVICE アクを取るのは、この1回でOK

Aを加えて、落としぶたをして柔らかくなるまで煮含める。器に盛り、絹さやを添える。

ADVICE 落としぶたをしたら、絶対にさわらないこと。煮くずれます

煮る

ラタトゥイユ

洋風の煮込み。
炒めたら塩をふって
野菜から水分を引き出し、
その水分で煮込むのが
おいしさのひけつです。
肉や魚料理のつけ合わせや、
パスタに添えても合います。

✱ **材料**（2人分）
玉ねぎ……1個
ズッキーニ……1本
パプリカ（赤）……1個
トマト……中2個
にんにく……1かけ
塩……小さじ½
こしょう……少々
オリーブ油……大さじ2

下ごしらえ

- 玉ねぎは薄切りにする。
- ズッキーニは4〜5cm長さに切り、縦4等分に切る。パプリカは縦半分に切り、へたと種を除き、縦2cm幅に切り、長さを半分に切る。トマトは縦6等分にくし形に切る。
- にんにくはみじん切りにする。

✱ **作り方**

1 » 炒める

鍋にオリーブ油を熱し、玉ねぎ、にんにくを中火で炒める。しんなりしたらズッキーニ、パプリカを加えて炒める。

2 » 煮込む

油がまわったらトマト、塩、こしょうを加えてさっと混ぜ、ふたをして中火で5分ほど煮る。

ADVICE
塩をふって野菜の水分を引き出し、この水分で煮込みます

ふたを取り、汁けがほぼなくなるまで強めの中火で煮込む。塩、こしょう各少々（分量外）で味を調える。

ここまでとばして！

ラタトゥイユでもう一品

オムレツ

卵4個は溶きほぐし、塩小さじ¼、こしょう少々を混ぜる。フライパンにバター大さじ1を溶かし、卵液を流して大きく混ぜる。半熟になったら、汁けをきったラタトゥイユ大さじ4をのせ、半分に折ってかぶせる。

5章 »» 野菜のベストメニュー

🏷 あえる

ミックスグリーンサラダ

野菜は水けを
きってから冷やすと、
シャキッとした歯ざわりに。
サラダの味を決めるのは
ドレッシング。ぜひ、手作りで。

✱ 材料（2人分）
レタス……1/3個
ミックスベビーリーフ……1袋
トマト……1個
きゅうり……1/3本
フレンチドレッシング*
├ 塩、フレンチマスタード……各小さじ1
├ ワインビネガー（白）……大さじ2
├ こしょう……少々
└ 植物油……カップ2/3

＊多めにできるので、残りは冷蔵庫で保存する。

下ごしらえ

レタス、
ミックスベビーリーフは洗う。
レタスは一口大に、
手でちぎる。

トマトはへたを除き、
縦8等分にくし形に切って種を除く。
きゅうりは斜めに薄切りにする。

✱ 作り方

1 》ドレッシングを作る

ミキサーやハンディプロセッサーでなめらかになるまで攪拌（かくはん）する。手で作る場合は、ボウルに塩、マスタード、ワインビネガー、こしょうを入れて泡立て器でよく混ぜ、油を少しずつ加えて混ぜ合わせてとろりとさせる（これが乳化）。

ADVICE
油以外の材料をよく混ぜ、最後に油を少しずつ混ぜて乳化させます

2 》仕上げる

葉野菜は水けをよくきり、トマト、きゅうりと合わせて冷蔵庫でよく冷やす。器に盛り、ドレッシングをかける。

ADVICE
葉野菜の水きりは水きり器で

ドレッシングバリエーション

ミキサーやハンディプロセッサーを使えば簡単ですが、泡立て器で作ることもできます。野菜以外にも、魚介のサラダや肉や魚のソテーなどにも合います。

和風ドレッシング

* **材料**（でき上がりカップ1弱）と作り方
植物油カップ2/3、酢大さじ2 2/3、しょうゆ大さじ1 1/2、こしょう、砂糖各少々をミキサーなどでなめらかになるまで攪拌する。
[手で作る場合]ボウルに油以外の材料を混ぜ、油を少しずつ加えて乳化するまで泡立て器でよく混ぜる。

中華風ドレッシング

* **材料**（でき上がり約カップ1/2）と作り方
長ねぎ3〜4cm、しょうが1かけ、にんにく少々、ごま油大さじ2、酢大さじ1、しょうゆ小さじ2、砂糖、塩、ラー油各少々をミキサーなどでなめらかになるまで攪拌する。
[手で作る場合]ボウルに酢、しょうゆ、砂糖、塩、ラー油を混ぜ、油を少しずつ加えて乳化するまで泡立て器でよく混ぜ、みじん切りの長ねぎ、しょうが、にんにくを加える。

ヨーグルトドレッシング

* **材料**（でき上がり約カップ2/3）と作り方
プレーンヨーグルト、酢、植物油各大さじ3、塩、砂糖各小さじ1/2、こしょう少々をミキサーなどでなめらかになるまで攪拌する。
[手で作る場合]ボウルに油以外の材料を混ぜ、油を少しずつ加えて乳化するまで泡立て器でよく混ぜる。

玉ねぎドレッシング

* **材料**（でき上がりカップ1弱）と作り方
玉ねぎ1/2個は薄切りにし、さっと水にさらして絞る。植物油カップ2/3、酢大さじ2、塩小さじ1、砂糖1つまみ、こしょう少々とともにミキサーなどでなめらかになるまで攪拌する。

にんじんドレッシング

* **材料**（でき上がりカップ1弱）と作り方
玉ねぎ1/8個は薄切りにし、さっと水にさらして絞る。にんじん60g、しょうが1かけはざく切りにする。しょうゆ、酢、植物油各大さじ2、砂糖大さじ1、みりん小さじ2、塩1つまみとともにミキサーなどでなめらかになるまで攪拌する。

練りごまドレッシング

* **材料**（でき上がり約カップ1/2）と作り方
練り白ごま、植物油各大さじ3、酢、しょうゆ各大さじ1、砂糖小さじ1、塩1つまみをミキサーなどでなめらかになるまで攪拌する。

マヨネーズ

* **材料**（でき上がりカップ1弱）と作り方
深めの容器に卵黄1個分、酢大さじ1、塩小さじ1/2、フレンチマスタード小さじ1/4、こしょう少々を入れてハンディプロセッサーでなめらかになるまで攪拌する。植物油カップ1/2を少しずつ加えて攪拌し、もったりしたらでき上がり。

■ あえる

シーザーサラダ

人気のサラダは
ポーチドエッグを作り、
それをドレッシングに使います。
おもてなしにもなる
贅沢なサラダです。

✳ **材料**（2人分）
ロメインレタス……6枚
卵……1個
アンチョビ……2枚
にんにく……1/4かけ
A ┌ レモン汁……大さじ1
　├ パルメザンチーズのすりおろし……大さじ2
　├ 塩……1つまみ
　├ 粗びき黒こしょう……少々
　└ 植物油……大さじ4
クルトン
　┌ サンドイッチ用食パン……1/2枚分
　└ 植物油……大さじ3
パルメザンチーズ……適量
パセリのみじん切り……少々

下ごしらえ

- ポーチドエッグ（作り方2参照）
- ロメインレタスは4～5cm角に切って、冷やしておく。
- 食パンは2cm角に切る。
- アンチョビ、にんにくはみじん切りにする。

✳ **作り方**

1 » クルトンを作る

天パンにオーブンシートを敷き、パンを並べ、油をからめてオーブントースターでカリッとするまで焼く。

2 » ポーチドエッグを作る

小鍋に湯を沸かして酢少々（分量外）を加え、割った卵をそっと入れ、卵白を箸で寄せながら中火で3～4分ゆでる。穴あきお玉で引き上げて湯をきる。

ADVICE 入れたら手早く！ 卵白を箸ですくって卵黄にかけて形を整えて

3 » ドレッシングを作って仕上げる

深めの容器に2、アンチョビ、にんにく、Aを入れ、ハンディプロセッサーでなめらかになるまで攪拌（かくはん）する。器にロメインレタス、クルトン、薄切りにしたパルメザンチーズを盛り、ドレッシングをかけて全体を軽くあえ、パセリを散らす。

あえる
ポテトサラダ

じゃが芋、にんじんとも薄切りでゆでるので、すぐにゆで上がり、手軽に作れます。
じゃが芋はつぶさずに、食感を残します。

生徒の声 つけ合わせによく作ります（31歳・会社員）

✳ 材料（2人分）
- じゃが芋……1個
- にんじん……1/5本
- きゅうり……1/3本
- A
  - 塩……小さじ1/5
  - こしょう……少々
  - マヨネーズ……大さじ3

下ごしらえ
- じゃが芋、にんじんは皮をむき、薄いいちょう切りにする。
- きゅうりは薄い輪切りにし、塩1つまみ（分量外）を加えてもみ、さっと洗って水けを絞る。

✳ 作り方

1 » じゃが芋をゆでる
鍋にじゃが芋とにんじん、ひたひたの水を加えて、柔らかくゆでる。水けをきり、Aで下味をつける。

ADVICE 温かいうちに下味をつけて

2 » あえる
すぐにボウルに1、きゅうり、マヨネーズを入れてあえ、冷ましていただく。

あえる
コールスロー

塩でもむとかさがぐっと減って、野菜がたくさん食べられます。
はちみつが隠し味のドレッシングであえて仕上げます。

✳ 材料（2人分）
- キャベツ……150g
- にんじん……10g
- 玉ねぎ……1/6個
- ロースハム……2枚
- 塩……小さじ1/4
- ドレッシング
  - マヨネーズ……小さじ2
  - ワインビネガー（白）……大さじ1
  - はちみつ……小さじ1/2
  - 塩……1つまみ
  - こしょう……少々
  - 植物油……大さじ2

下ごしらえ
キャベツ、にんじん、玉ねぎ、ハムはせん切りにする。

✳ 作り方

1 » 塩もみする
ボウルに野菜を入れ、塩をふって混ぜ、5分ほどおく。しんなりしたら手でもみ、水けをしっかり絞り、ハムを混ぜる。

ADVICE ギュッとしっかり絞ります

2 » ドレッシングを作ってあえる
ドレッシングの材料をハンディプロセッサーでなめらかになるまで攪拌する。またはボウルに油以外の材料を混ぜ、油を少しずつ加えてとろりと乳化するまで泡立て器でよく混ぜる。1に加えてあえる。

あえる

いんげんのごまあえ

ごまをいってからすると、香ばしさが際立って一味も二味も違います。

生徒の声 手軽に作れて、体にいい（32歳・自営業男性）
おいしくて、いんげんがどんどんすすんじゃいます（33歳・会社員）

＊材料（2人分）
いんげん……約13本（100g）
あえ衣
　いり白ごま……大さじ3½
　砂糖……大さじ2
　しょうゆ……大さじ1½

下ごしらえ
いんげんはへたを切り落とす。

＊あえ衣の準備
あえ衣の砂糖としょうゆは混ぜ合わせる。

＊作り方

1》ゆでる
いんげんは熱湯で2〜3分ゆで、ざるに上げて冷まし、3cm長さに切る。

2》あえ衣を作ってあえる
小さなフライパンに白ごまを入れて、弱火にかけて香ばしくいる。

ADVICE
この一手間で、香ばしさが全然違います

すり鉢に白ごまを入れてすり、合わせた砂糖としょうゆを加えて混ぜ、1を加えてあえる。

あえる

セロリときゅうりの酢の物

歯ごたえのよい野菜の組み合わせ。塩でもんで、水けを絞ると味が入りやすくなります。いかの代わりにえびやたこでも。

生徒の声 簡単なのにとてもおいしい（28歳・会社員）

＊材料（2人分）
きゅうり……½本
セロリ……⅓本
刺身用いかの胴……⅓ぱい分
しょうが……小1かけ
塩……少々

A
　しょうゆ、酢……各大さじ1
　砂糖……大さじ½
　塩……小さじ¼
　こしょう……少々
　ごま油……小さじ1

下ごしらえ
きゅうり、セロリは斜めに薄切りにする。
いかは1cm幅の短冊に切る。
しょうがはせん切りにする。

＊作り方

1》塩もみする
ボウルにきゅうりとセロリを入れ、塩をふってもみ、さっと洗って軽く絞る。

ADVICE
塩もみすると歯ごたえがよくなります

2》あえる
ボウルにAを合わせ、1、いか、しょうがを加えてあえ、冷蔵庫で冷やしていただく。

> あえる

ナムル

韓国風の定番あえ物。身近な野菜で作る4種類を紹介しますが、野菜は一つでも。好みのもので作ってください。

＊材料（2人分）
- ほうれんそう……6株（100g）
- 大豆もやし……100g
- にんじん……2/3本（100g）
- 大根……100g
- 塩……適量

A
- 塩……小さじ1/4
- ごま油……大さじ2
- すり白ごま……小さじ2
- にんにくのすりおろし……少々

B
- 砂糖……小さじ1
- 塩……小さじ1/4
- すり白ごま……小さじ2

C
- 砂糖、酢……各小さじ1
- 塩……小さじ1/4
- ごま油……小さじ2

下ごしらえ

にんじん、大根はせん切りにする。もやしはひげ根を取る。

＊作り方

1 » ほうれんそう、もやしをあえる

ほうれんそうは熱湯で15秒ほどゆで、冷水にとって冷ます。塩少々を混ぜて、水けを絞り、3cm長さに切る。Aの半量であえる。大豆もやしは塩少々を加えた熱湯で3分ゆで、ざるに上げて冷まし、残りのAであえる。

2 » にんじん、大根をあえる

にんじんはごま油でさっと炒め、Bであえる。

ADVICE
にんじんはさっとでOK。余熱で火が通ります

大根は塩小さじ1/3をふってもみ、水で洗い、水けを絞り、Cであえる。

> あえる

ブロッコリーのからし酢みそ

からし酢みそを覚えれば、うど、ゆでたわけぎなど、いろいろな野菜で応用できます。

＊材料（2人分）
- ブロッコリー……1/6個
- ちくわ……1/2本

からし酢みそ
- 白みそ……40g
- 砂糖、酢……各大さじ1
- 酒……小さじ2
- 練りがらし……少々
- 塩……1つまみ

下ごしらえ

- ブロッコリーは小房に分ける。
- ちくわは縦半分に切ってから斜めに薄切りにする。

＊作り方

1 » ゆでる

鍋に湯を沸かし、塩少々（分量外）を加えてブロッコリーをさっとゆで、ざるに上げる。

ADVICE
ブロッコリーは水にとらないで！

2 » 仕上げる

からし酢みその材料は混ぜ合わせる。1とちくわを器に盛り、からし酢みそをかけて、あえていただく。

田中伶子
たなか・れいこ

田中伶子クッキングスクール、銀座料理学院、食育クッキングスクール代表。全国料理学校協会理事。NPO日本食育インストラクター協会理事。福岡女子大学卒業後、1964（昭和39）年に料理教室を開設し、50年にわたり基本を大切にした家庭料理を指導。プロ養成にも努め、多くの卒業生をフードビジネス界に輩出している。

中村奈津子
なかむら・なつこ

田中伶子クッキングスクール校長。日本女子大学を卒業後、全日本司厨士協会に就職。香港駐在中に中国料理を学ぶ。2006年ニューヨーク駐在時より、料理教室「LOVELY TABLE NEW YORK」を主宰。2009年に帰国後、田中伶子クッキングスクールに勤務。母、田中伶子とともに指導している。

田中伶子クッキングスクール
〒104-0061 東京都中央区銀座2-11-18 銀座小林ビル2階
TEL 03-5565-5370　FAX 03-5565-5375　月〜土 13:00〜21:00
http://www.tanakacook.com/

＊

アートディレクション
大久保裕文（Better Days）

デザイン
深山貴世（Better Days）

撮影
青砥茂樹（本社写真部）

スタイリング
久保原恵理

編集・構成
相沢ひろみ

＊

料理アシスタント
杉本涼子・須部規子・戸崎小百合・戸嶋幸江・山崎由貴

＊

撮影協力
貝印株式会社
http://www.kai-group.com/

講談社のお料理BOOK
50年続く銀座の人気料理教室の熱血レッスン

本当に作りたい料理、ぜんぶ。

2014年9月 9日　第1刷発行
2018年6月13日　第2刷発行

著者　田中伶子クッキングスクール
©Reiko Tanaka Cooking School 2014, Printed in Japan
発行者　渡瀬昌彦
発行所　株式会社 講談社
　　　　〒112-8001 東京都文京区音羽2-12-21
　　　　電話　編集　03-5395-3527
　　　　　　　販売　03-5395-3606
　　　　　　　業務　03-5395-3615
印刷所　大日本印刷株式会社
製本所　株式会社若林製本工場

落丁本・乱丁本は、購入書店名を明記のうえ、小社業務あてにお送りください。送料小社負担にてお取り替えいたします。
なお、この本の内容についてのお問い合わせは、生活文化あてにお願いいたします。
本書のコピー、スキャン、デジタル化等の無断複製は著作権法上での例外を除き禁じられています。本書を代行業者等の第三者に依頼してスキャンやデジタル化することは、たとえ個人や家庭内の利用でも著作権法違反です。
定価はカバーに表示してあります。
ISBN978-4-06-299619-8